교과서 GO! 사고력 GO!

Run-B

교과서 사고력

수학 5-2

구성과 특징

1주차 교과 집중 학습

1 교과서 개념 완성

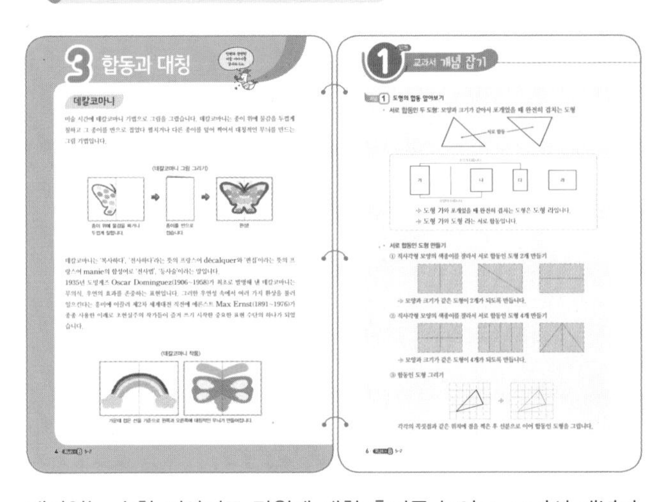

재미있는 수학 이야기로 단원에 대한 흥미를 높이고, 교과서 개념과 기본 문제를 학습합니다.

2 교과서 개념 PLAY

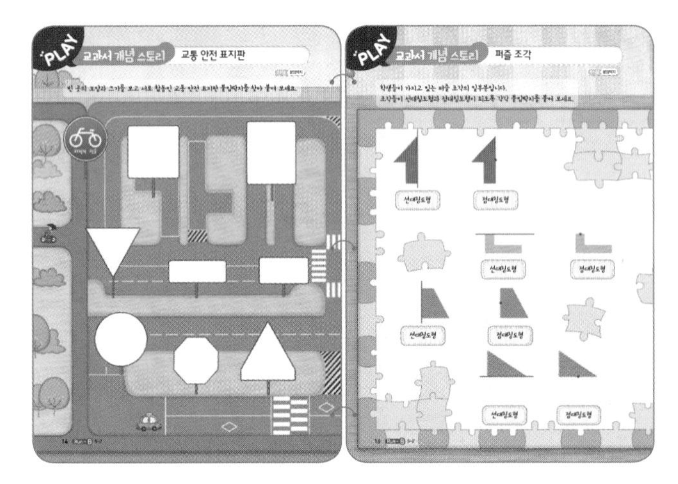

게임으로 개념을 학습하면서 집중력을 높여 쉽게 개념을 익히고 기본을 탄탄하게 만듭니다.

3 문제 풀이로 실력 & 자신감 UP!

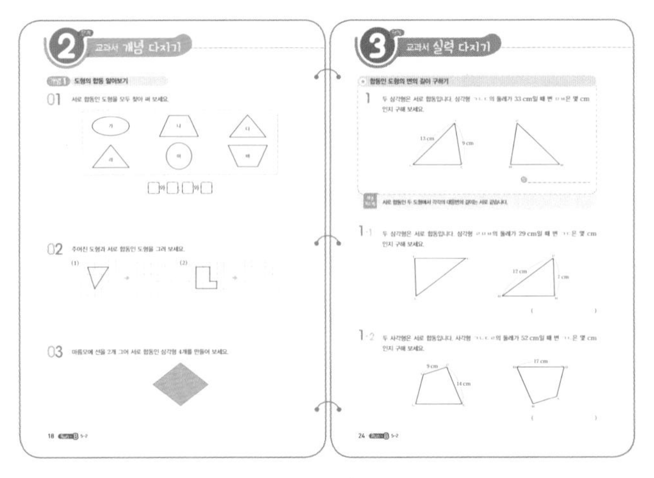

한 단계 더 나아간 교과서와 익힘 문제로 개념을 완성하고, 다양한 문제 유형으로 응용력을 키웁니다.

4 서술형 문제 풀이

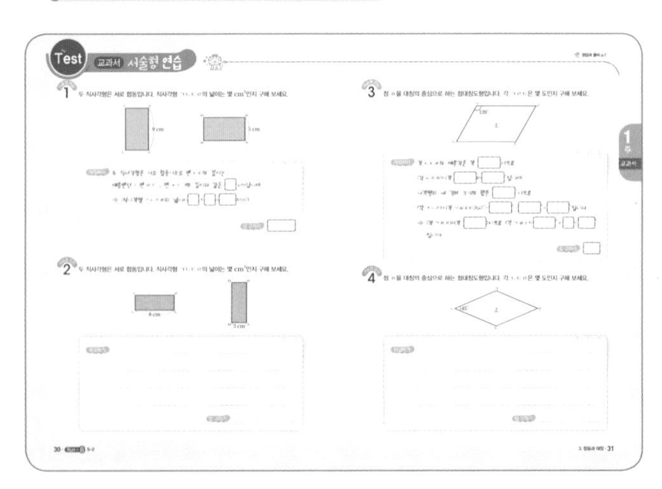

시험에 잘 나오는 서술형 문제 중심으로 단계별로 풀이하는 연습을 하여 서술하는 힘을 높여 줍니다.

교과 + 사고력

2주에 한 단원 완성!

2 주차 사고력 확장 학습

1 사고력 PLAY

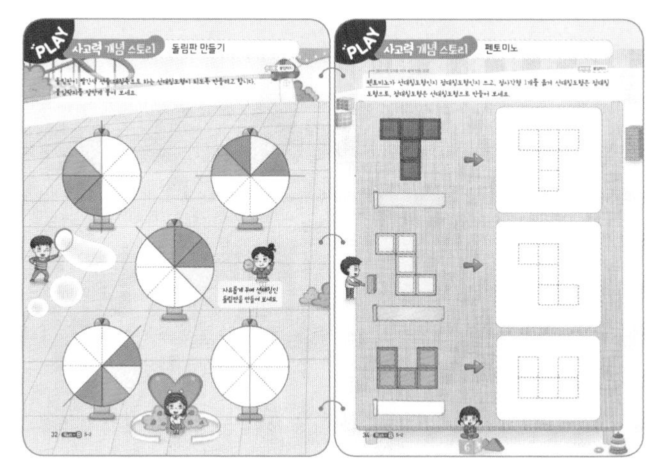

교과 심화 문제와 사고력 문제를 게임으로 쉽게 접근하여 어려운 문제에 대한 거부감을 낮추고 집중력을 높입니다.

2 교과 사고력 잡기

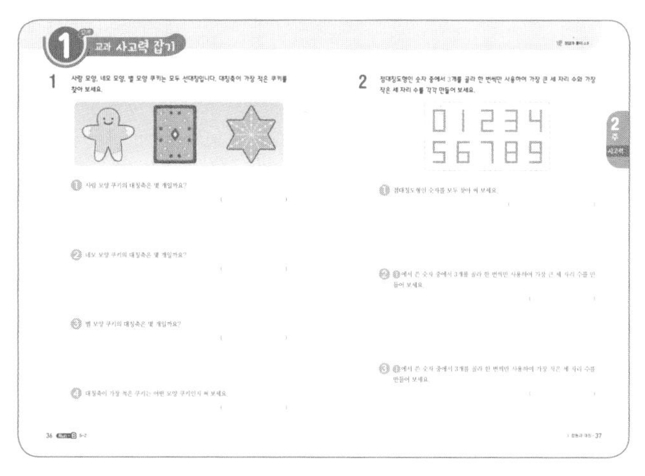

문제에 필요한 요소를 찾아 단계별로 해결하면서 문제 해결력을 키울 수 있는 힘을 기릅니다.

3 교과 사고력 확장 + 완성

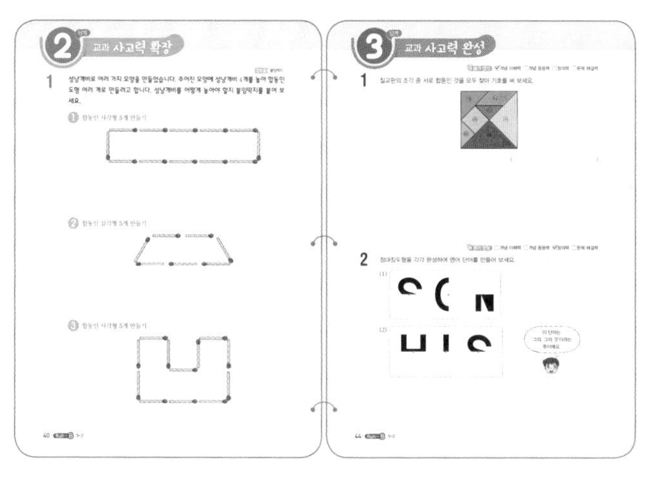

틀에서 벗어난 생각을 하여 문제를 해결하는 창의적 사고력을 기를 수 있는 힘을 기릅니다.

4 종합평가 / 특강

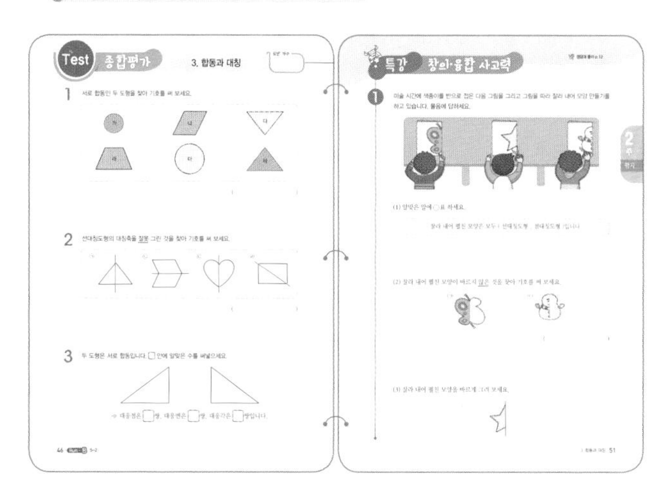

교과 학습과 사고력 학습을 얼마나 잘 이해하였는지 평가하여 배운 내용을 정리합니다.

3 합동과 대칭

단원과 관련된
미술 이야기를
살펴보아요.

데칼코마니

미술 시간에 데칼코마니 기법으로 그림을 그렸습니다. 데칼코마니는 종이 위에 물감을 두껍게 칠하고 그 종이를 반으로 접었다 펼치거나 다른 종이를 덮어 찍어서 대칭적인 무늬를 만드는 그림 기법입니다.

〈데칼코마니 그림 그리기〉

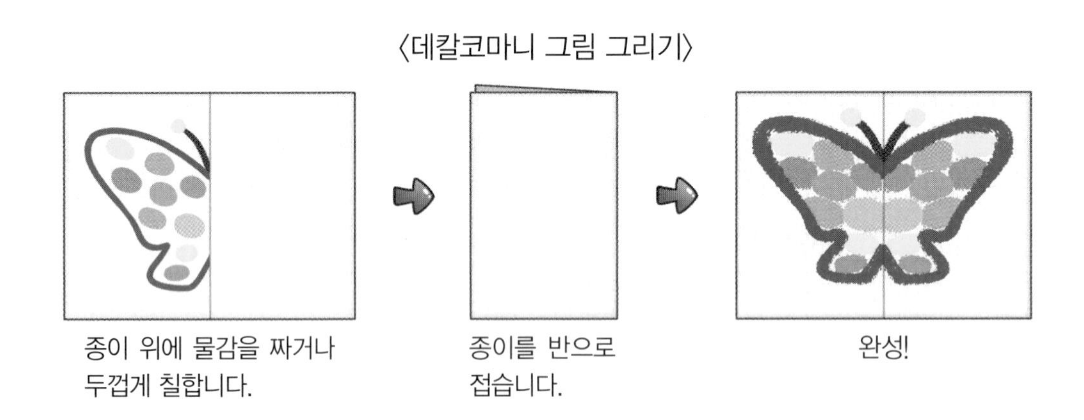
종이 위에 물감을 짜거나
두껍게 칠합니다.
종이를 반으로
접습니다.
완성!

데칼코마니는 '복사하다', '전사하다'라는 뜻의 프랑스어 décalquer와 '편집'이라는 뜻의 프랑스어 manie의 합성어로 '전사법', '등사술'이라는 말입니다.
1935년 도밍게즈 Oscar Dominguez(1906~1958)가 최초로 발명해 낸 데칼코마니는 무의식, 우연의 효과를 존중하는 표현입니다. 그러한 우연성 속에서 여러 가지 환상을 불러일으킨다는 흥미에 이끌려 제2차 세계대전 직전에 에른스트 Max Ernst(1891~1976)가 종종 사용한 이래로 초현실주의 작가들이 즐겨 쓰기 시작한 중요한 표현 수단의 하나가 되었습니다.

〈데칼코마니 작품〉

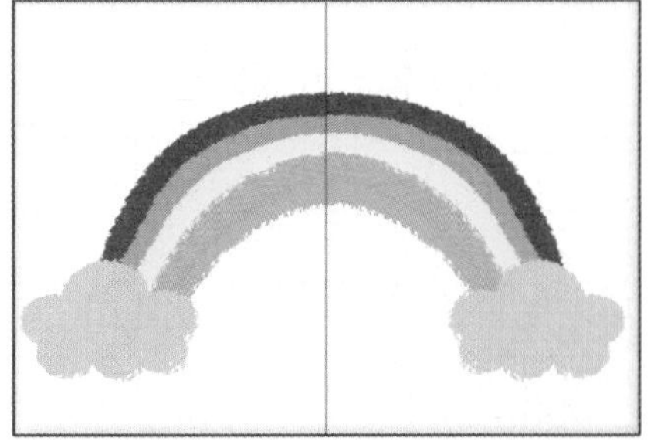
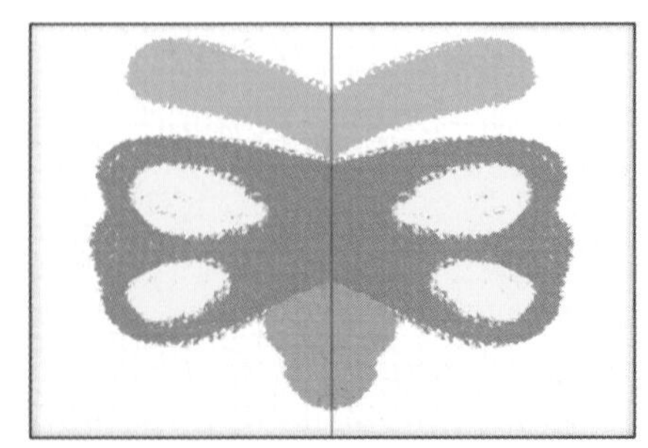

가운데 접은 선을 기준으로 왼쪽과 오른쪽에 대칭적인 무늬가 만들어집니다.

데칼코마니 기법으로 그림을 그리고 있습니다. 도화지를 접었다 펼쳤을 때 오른쪽에 나타날 그림을 찾아 선으로 이어 보세요.

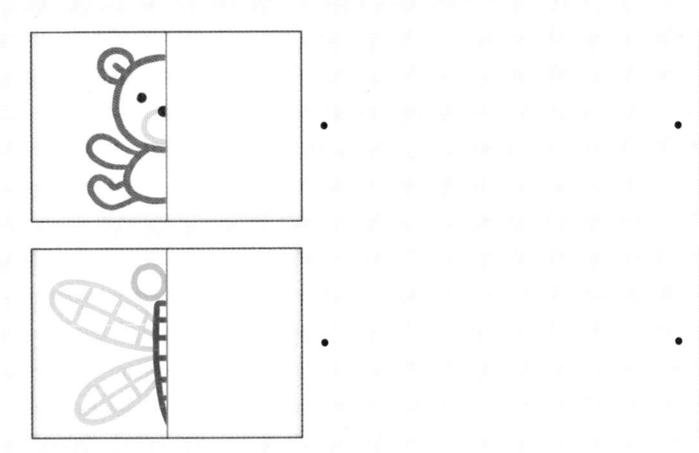

데칼코마니 기법으로 그린 그림입니다. 선 가와 선 나 중에서 어느 선을 따라 접었다 펼친 것인지 기호를 써 보세요.

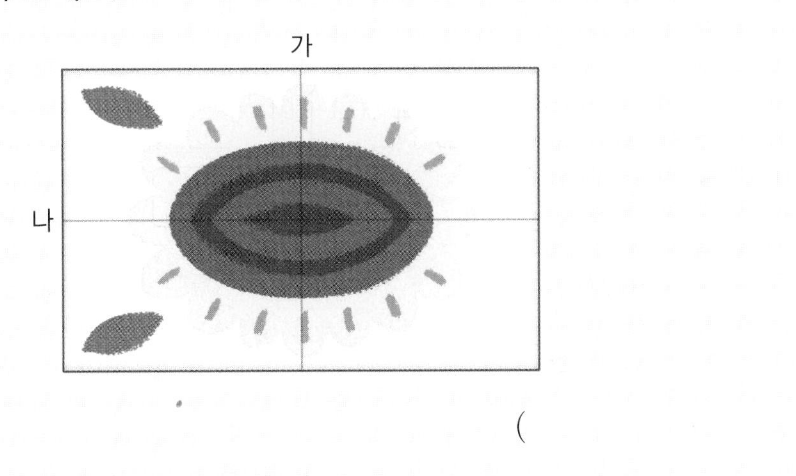

( )

왼쪽 칠교판 조각과 포개었을 때 완전히 겹치는 조각에 ○표 하세요.

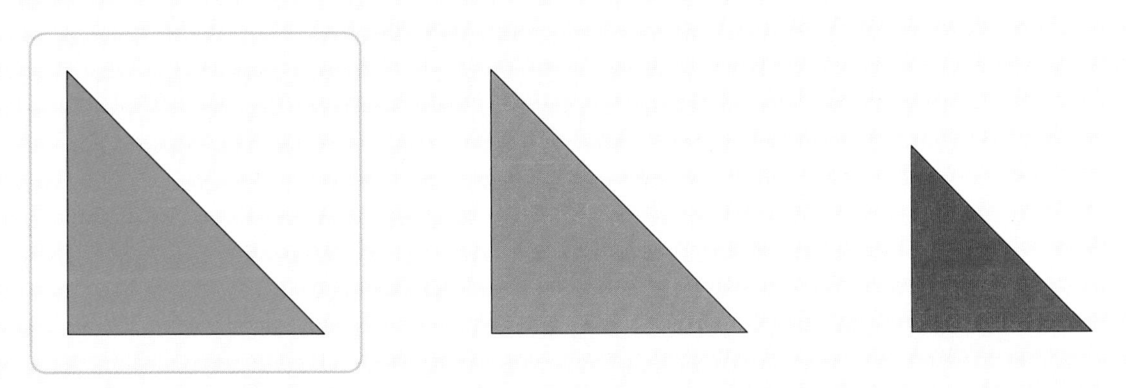

개념 1 도형의 합동 알아보기

- 서로 **합동**인 두 도형: 모양과 크기가 같아서 포개었을 때 완전히 겹치는 도형

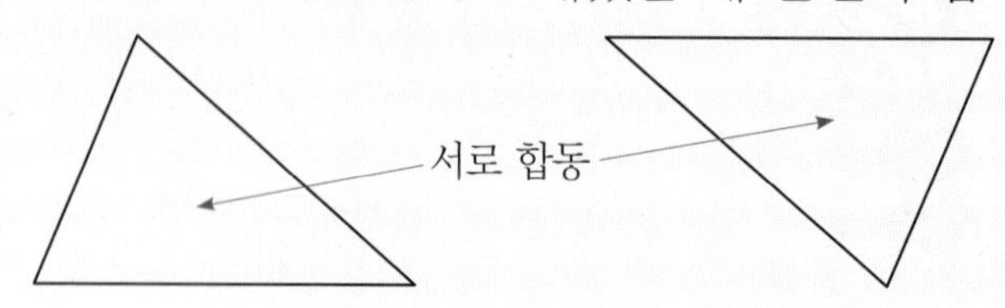

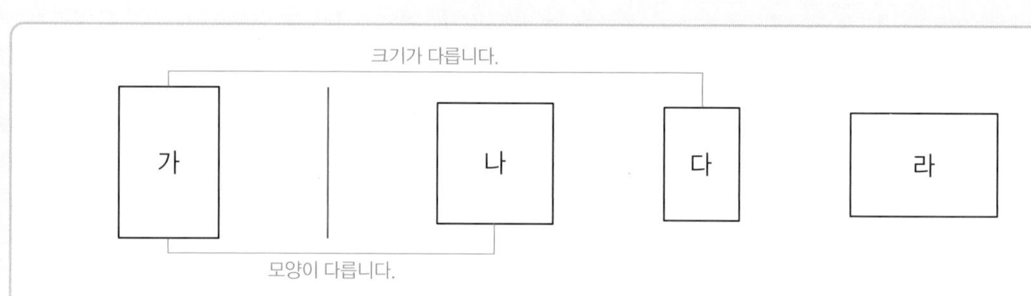

➡ 도형 **가**와 포개었을 때 완전히 겹치는 도형은 도형 **라**입니다.

➡ 도형 **가**와 도형 **라**는 서로 합동입니다.

- 서로 합동인 도형 만들기

① 직사각형 모양의 색종이를 잘라서 서로 합동인 도형 2개 만들기

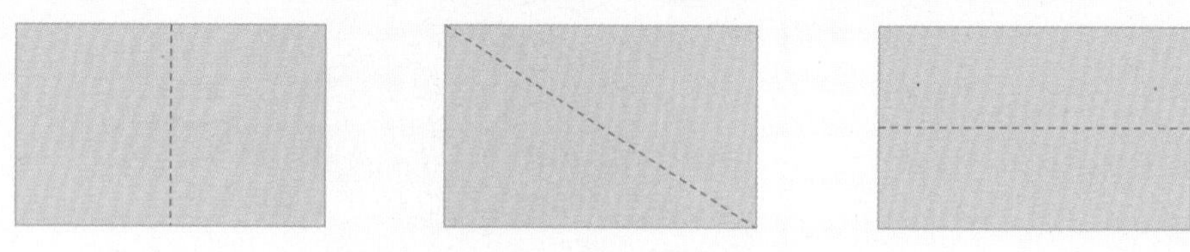

➡ 모양과 크기가 같은 도형이 2개가 되도록 만듭니다.

② 직사각형 모양의 색종이를 잘라서 서로 합동인 도형 4개 만들기

➡ 모양과 크기가 같은 도형이 4개가 되도록 만듭니다.

③ 합동인 도형 그리기

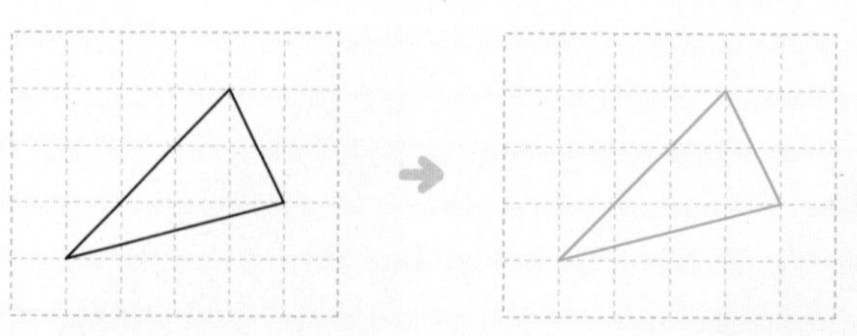

각각의 꼭짓점과 같은 위치에 점을 찍은 후 선분으로 이어 합동인 도형을 그립니다.

개념 확인 문제

1-1 왼쪽 도형과 포개었을 때 완전히 겹치는 도형을 찾아 ○표 하세요.

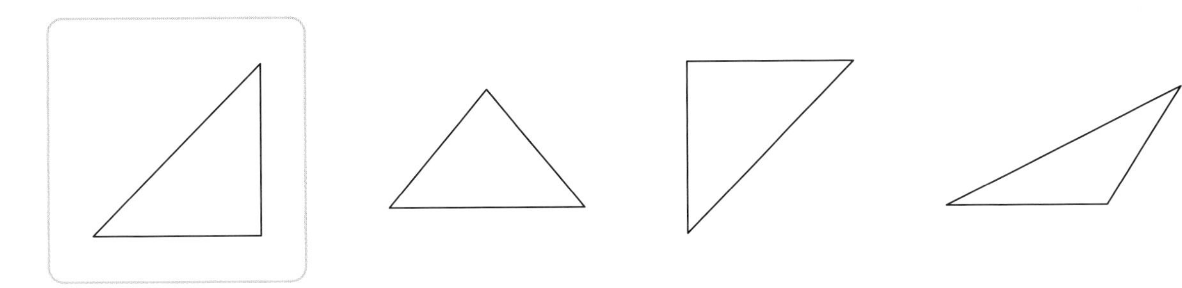

1-2 □ 안에 알맞은 말을 써넣으세요.

모양과 크기가 같아서 포개었을 때 완전히 겹치는 두 도형을 서로 □(이)라고 합니다.

1-3 주어진 도형과 서로 합동인 도형을 그려 보세요.

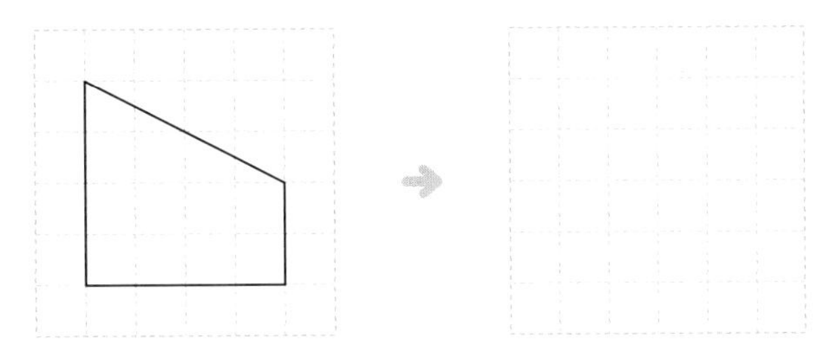

1-4 직사각형 모양의 색종이를 잘라서 만들어진 두 도형이 서로 합동이 아닌 것을 찾아 ×표 하세요.

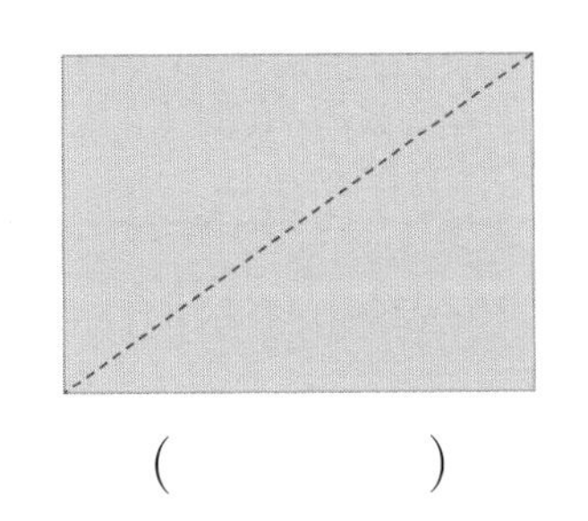
( )

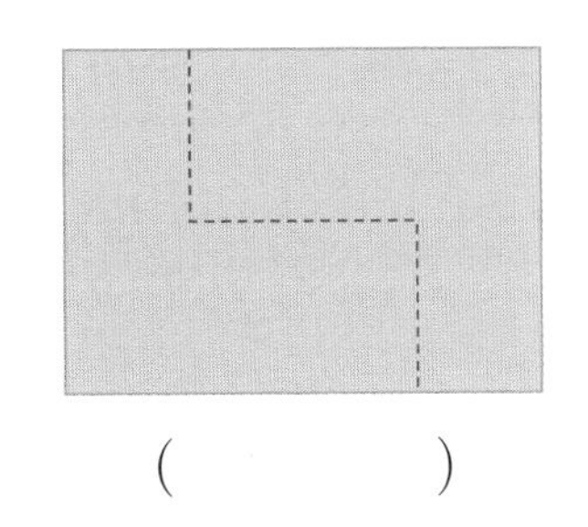
( )

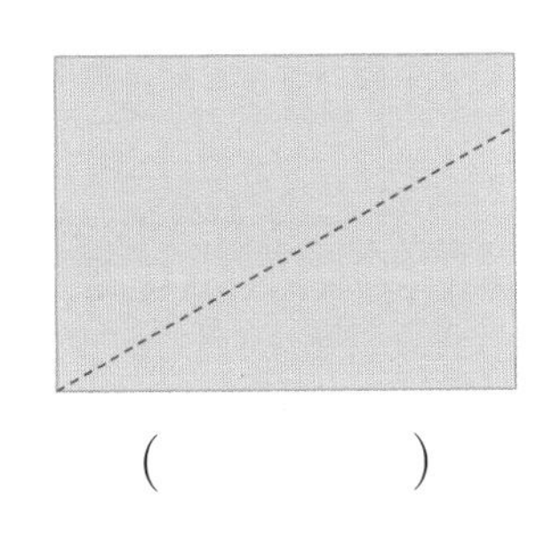
( )

개념 2 합동인 두 도형의 성질 알아보기

• 대응점, 대응변, 대응각

서로 합동인 두 도형을 포개었을 때 겹치는 점을 **대응점**, 겹치는 변을 **대응변**, 겹치는 각을 **대응각**이라고 합니다.

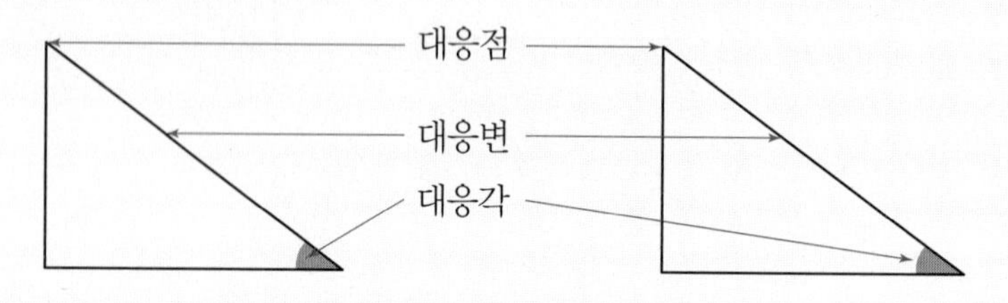

• 대응변과 대응각의 성질

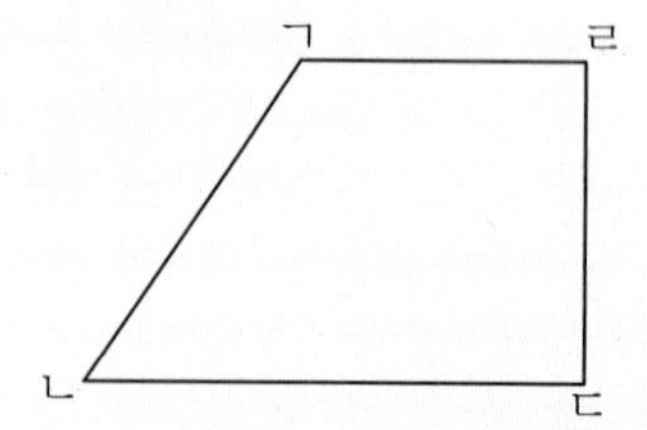

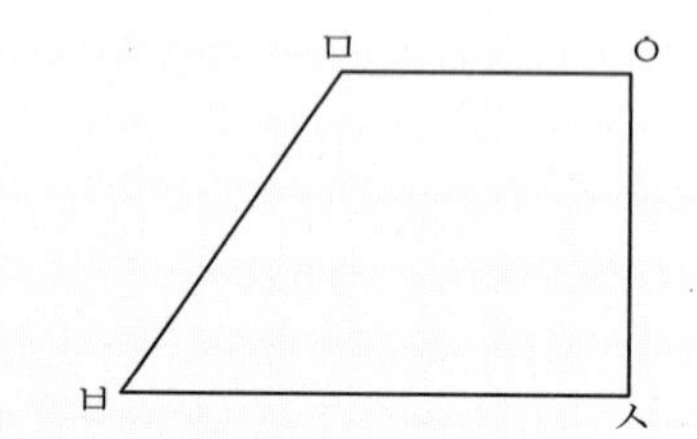

① 서로 합동인 두 도형에서 각각의 대응변의 길이는 서로 같습니다.

(변 ㄱㄴ)=(변 ㅁㅂ), (변 ㄴㄷ)=(변 ㅂㅅ),
(변 ㄷㄹ)=(변 ㅅㅇ), (변 ㄹㄱ)=(변 ㅇㅁ)

② 서로 합동인 두 도형에서 각각의 대응각의 크기는 서로 같습니다.

(각 ㄱㄴㄷ)=(각 ㅁㅂㅅ), (각 ㄴㄷㄹ)=(각 ㅂㅅㅇ),
(각 ㄷㄹㄱ)=(각 ㅅㅇㅁ), (각 ㄹㄱㄴ)=(각 ㅇㅁㅂ)

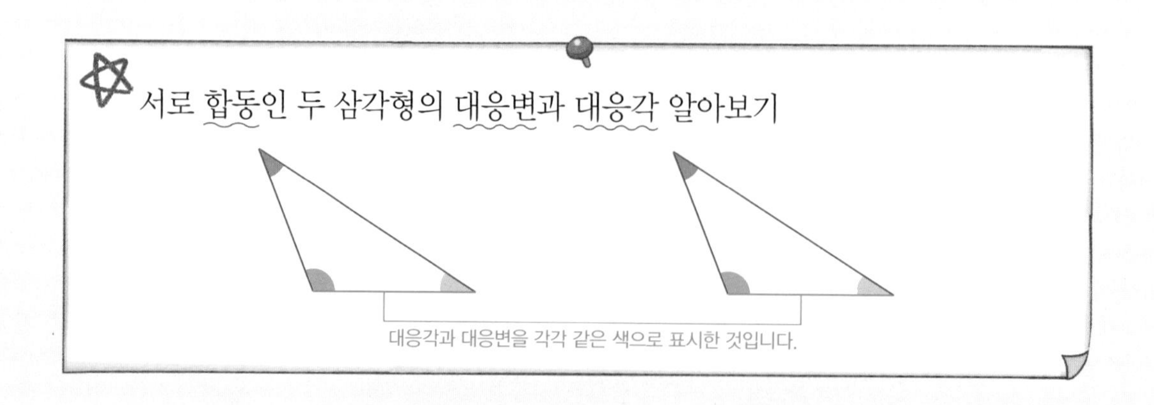

서로 합동인 두 삼각형의 대응변과 대응각 알아보기
대응각과 대응변을 각각 같은 색으로 표시한 것입니다.

개념 확인 문제

2-1 두 사각형은 서로 합동입니다. □ 안에 알맞은 말을 써넣으세요.

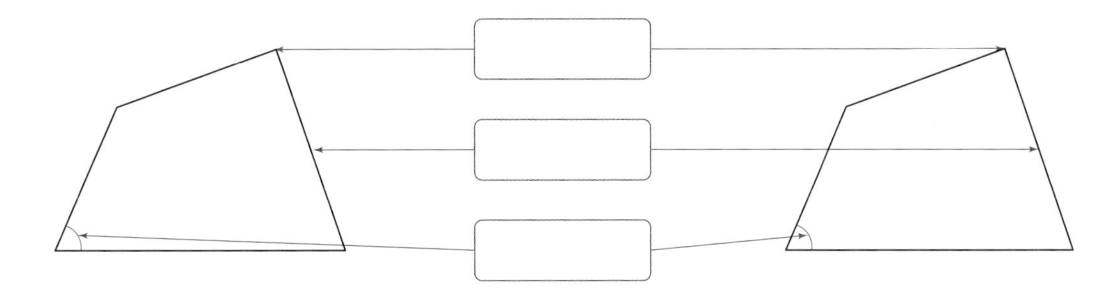

2-2 두 삼각형은 서로 합동입니다. 물음에 답하세요.

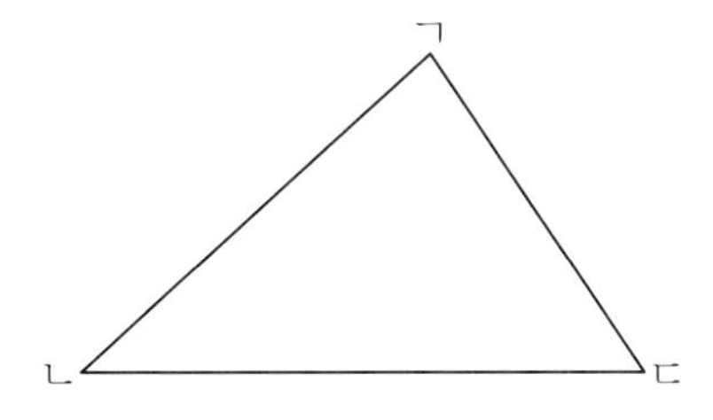

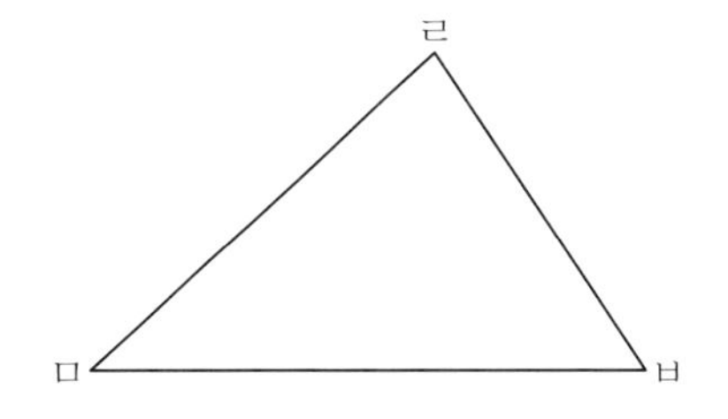

(1) 점 ㄴ의 대응점을 찾아 써 보세요.

( )

(2) 변 ㄴㄷ의 대응변을 찾아 써 보세요.

( )

(3) 각 ㄱㄴㄷ의 대응각을 찾아 써 보세요.

( )

2-3 두 사각형은 서로 합동입니다. 물음에 답하세요.

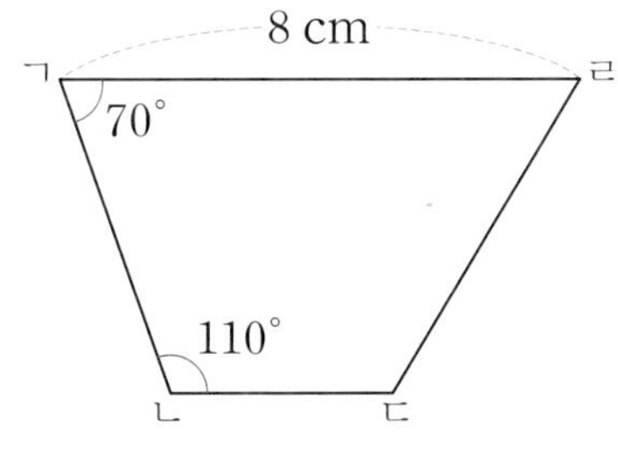

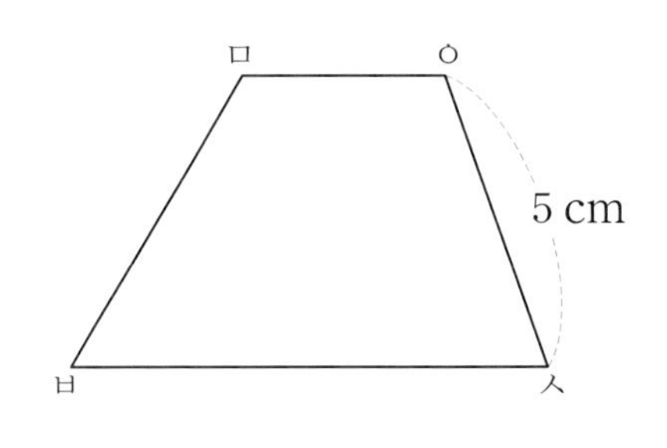

(1) 변 ㄱㄴ은 몇 cm일까요?

( )

(2) 각 ㅇㅅㅂ은 몇 도일까요?

( )

1단계 교과서 개념 잡기

개념 3 선대칭도형 알아보기

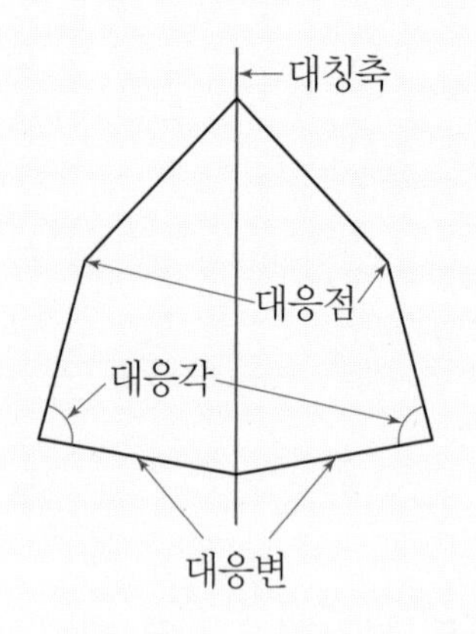

- 한 직선을 따라 접었을 때 완전히 겹치는 도형을 **선대칭도형**이라고 하고, 이때 그 직선을 **대칭축**이라고 합니다.

  대칭축을 따라 포개었을 때 겹치는 점을 **대응점**, 겹치는 변을 **대응변**, 겹치는 각을 **대응각**이라고 합니다.

- 선대칭도형의 성질

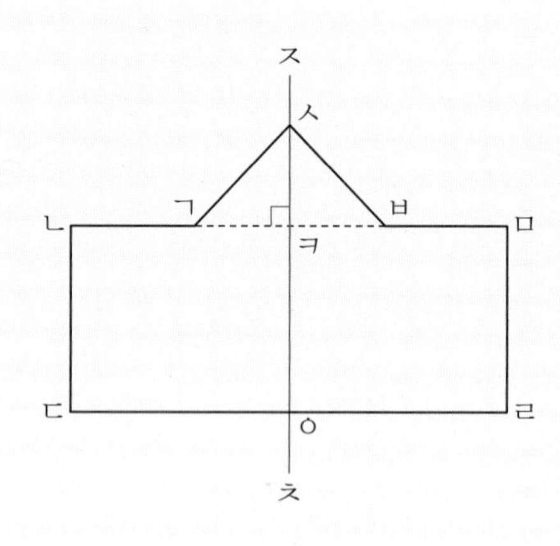

① 각각의 대응변의 길이가 서로 같습니다.

(변 ㄱㄴ)=(변 ㅂㅁ), (변 ㄴㄷ)=(변 ㅁㄹ),

(변 ㄷㅇ)=(변 ㄹㅇ), (변 ㅅㄱ)=(변 ㅅㅂ)

② 각각의 대응각의 크기가 서로 같습니다.

(각 ㄱㄴㄷ)=(각 ㅂㅁㄹ),

(각 ㄴㄷㅇ)=(각 ㅁㄹㅇ)

③ 대응점끼리 이은 선분은 대칭축과 수직으로 만납니다.

선분 ㄱㅂ과 대칭축은 수직으로 만납니다.

④ 각각의 대응점에서 대칭축까지의 거리가 서로 같습니다.

(선분 ㄱㅋ)=(선분 ㅂㅋ)

- 선대칭도형 그리기

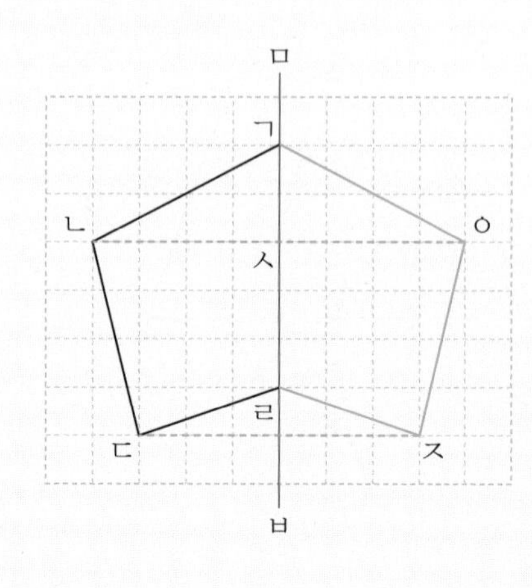

① 점 ㄴ에서 대칭축 ㅁㅂ에 수선을 긋고, 대칭축과 만나는 점을 찾아 점 ㅅ으로 표시합니다.

② 이 수선에 선분 ㄴㅅ과 길이가 같은 선분 ㅇㅅ이 되도록 점 ㄴ의 대응점을 찾아 점 ㅇ으로 표시합니다.

③ 위와 같은 방법으로 점 ㄷ의 대응점을 찾아 점 ㅈ으로 표시합니다.

④ 점 ㄹ과 점 ㅈ, 점 ㅈ과 점 ㅇ, 점 ㅇ과 점 ㄱ을 차례로 이어 선대칭도형이 되도록 그립니다.

3-1 선대칭도형을 모두 찾아 ○표 하세요.

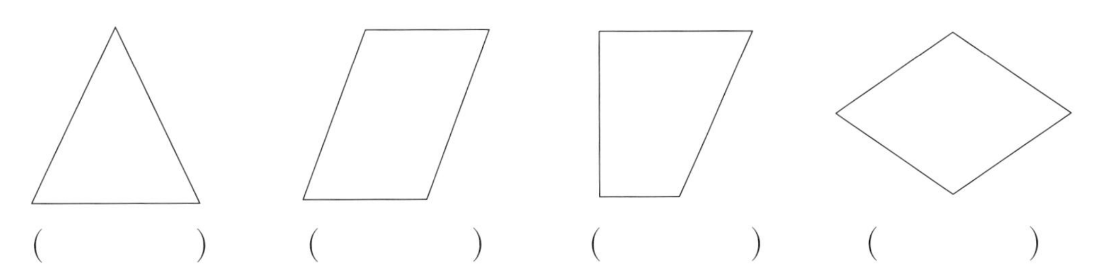

( ) ( ) ( ) ( )

3-2 다음 도형은 선대칭도형입니다. 물음에 답하세요.

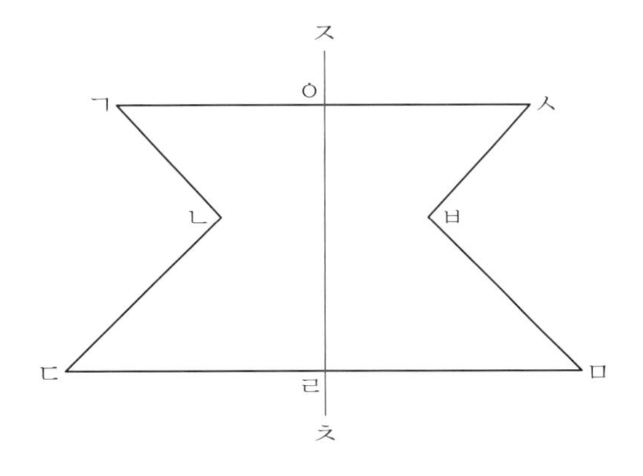

(1) 변 ㄱㄴ의 대응변을 찾아 써 보세요.

( )

(2) 각 ㄴㄷㄹ의 대응각을 찾아 써 보세요.

( )

(3) 선분 ㄷㅁ이 대칭축과 만나서 이루는 각은 몇 도일까요?

( )

3-3 직선 ㄱㄴ을 대칭축으로 하는 선대칭도형입니다. □ 안에 알맞은 수를 써넣으세요.

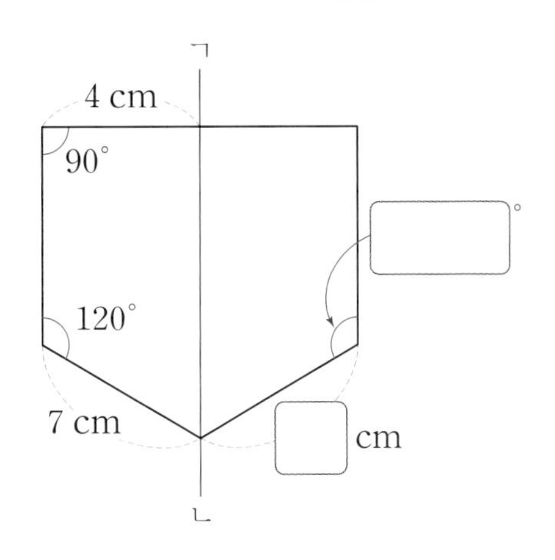

1 단계 교과서 개념 잡기

개념 4 점대칭도형 알아보기

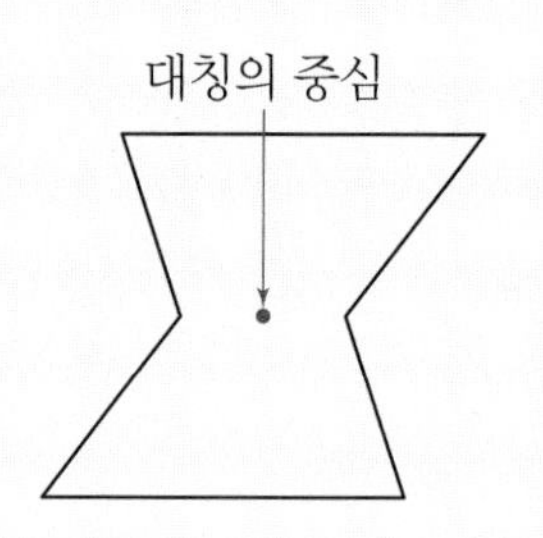

- 어떤 점을 중심으로 180° 돌렸을 때 처음 도형과 완전히 겹치는 도형을 **점대칭도형**이라고 하고, 이때 그 점을 **대칭의 중심**이라고 합니다.

  대칭의 중심을 중심으로 180° 돌렸을 때 겹치는 점을 **대응점**, 겹치는 변을 **대응변**, 겹치는 각을 **대응각**이라고 합니다.

- 점대칭도형의 성질

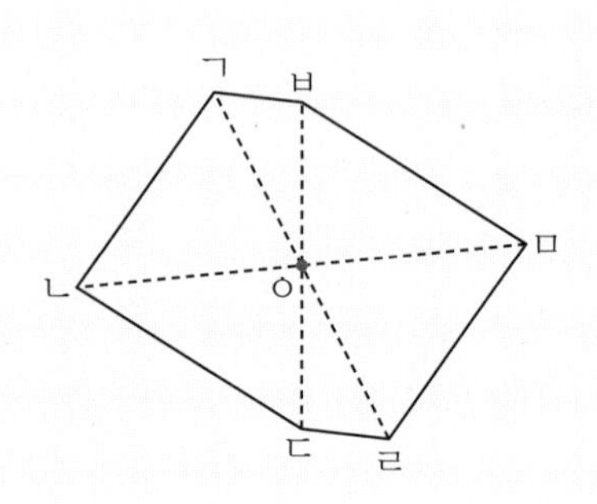

① 각각의 대응변의 길이가 서로 같습니다.
(변 ㄱㄴ)=(변 ㄹㅁ), (변 ㄴㄷ)=(변 ㅁㅂ),
(변 ㄷㄹ)=(변 ㅂㄱ)

② 각각의 대응각의 크기가 서로 같습니다.
(각 ㄱㄴㄷ)=(각 ㄹㅁㅂ), (각 ㄴㄷㄹ)=(각 ㅁㅂㄱ),
(각 ㄷㄹㅁ)=(각 ㅂㄱㄴ)

③ 대칭의 중심은 대응점끼리 이은 선분을 둘로 똑같이 나눕니다.
(선분 ㄱㅇ)=(선분 ㄹㅇ), (선분 ㄴㅇ)=(선분 ㅁㅇ),
(선분 ㄷㅇ)=(선분 ㅂㅇ)

- 점대칭도형 그리기

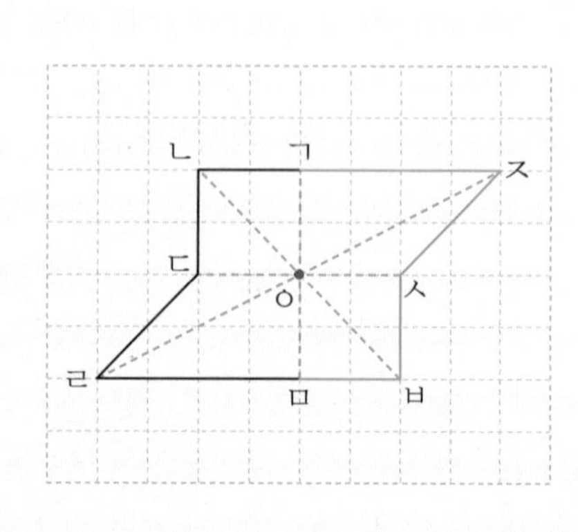

① 점 ㄴ에서 대칭의 중심인 점 ㅇ을 지나는 직선을 긋습니다.

② 이 직선에 선분 ㄴㅇ과 길이가 같은 선분 ㅂㅇ이 되도록 점 ㄴ의 대응점을 찾아 점 ㅂ으로 표시합니다.

③ 위와 같은 방법으로 점 ㄷ과 점 ㄹ의 대응점을 찾아 점 ㅅ과 점 ㅈ으로 각각 표시합니다.

④ 점 ㄱ의 대응점은 점 ㅁ입니다.

⑤ 점 ㅁ과 점 ㅂ, 점 ㅂ과 점 ㅅ, 점 ㅅ과 점 ㅈ, 점 ㅈ과 점 ㄱ을 차례로 이어 점대칭도형이 되도록 그립니다.

개념 확인 문제

4-1 점대칭도형을 모두 찾아 ○표 하세요.

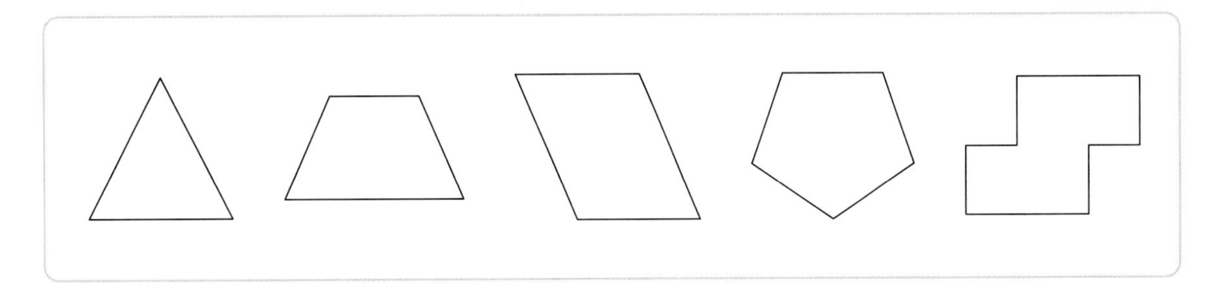

4-2 다음 도형은 점대칭도형입니다. 물음에 답하세요.

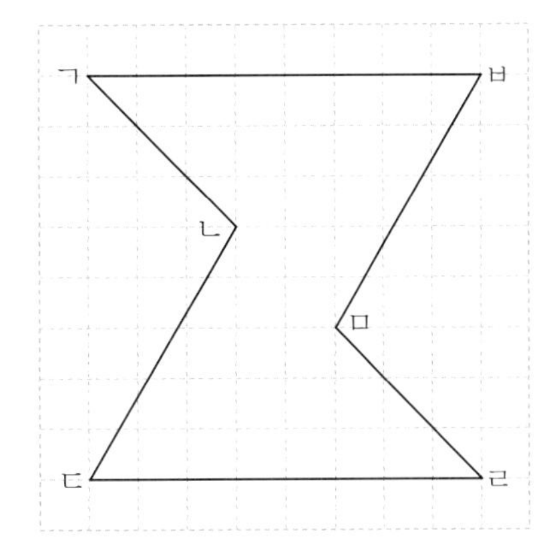

(1) 대칭의 중심을 찾아 점(•)으로 표시해 보세요.

(2) 점 ㄷ의 대응점을 찾아 써 보세요.

( )

(3) 각 ㄴㄱㅂ의 대응각을 찾아 써 보세요.

( )

4-3 점 ㅋ을 대칭의 중심으로 하는 점대칭도형입니다. □ 안에 알맞은 수를 써넣으세요.

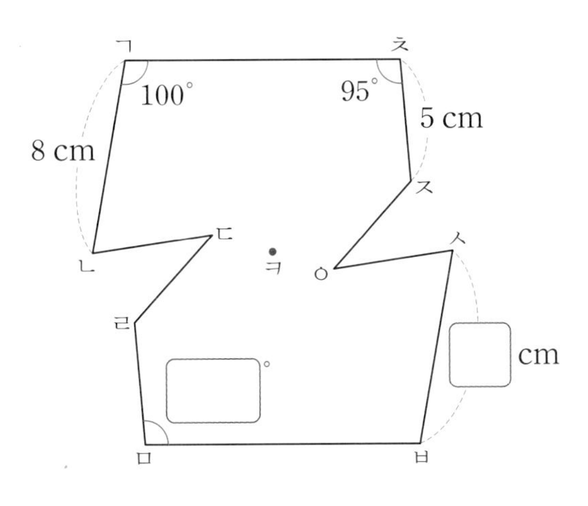

PLAY 교과서 개념 스토리

교통 안전 표지판

준비물 붙임딱지

빈 곳의 모양과 크기를 보고 서로 합동인 교통 안전 표지판 붙임딱지를 찾아 붙여 보세요.

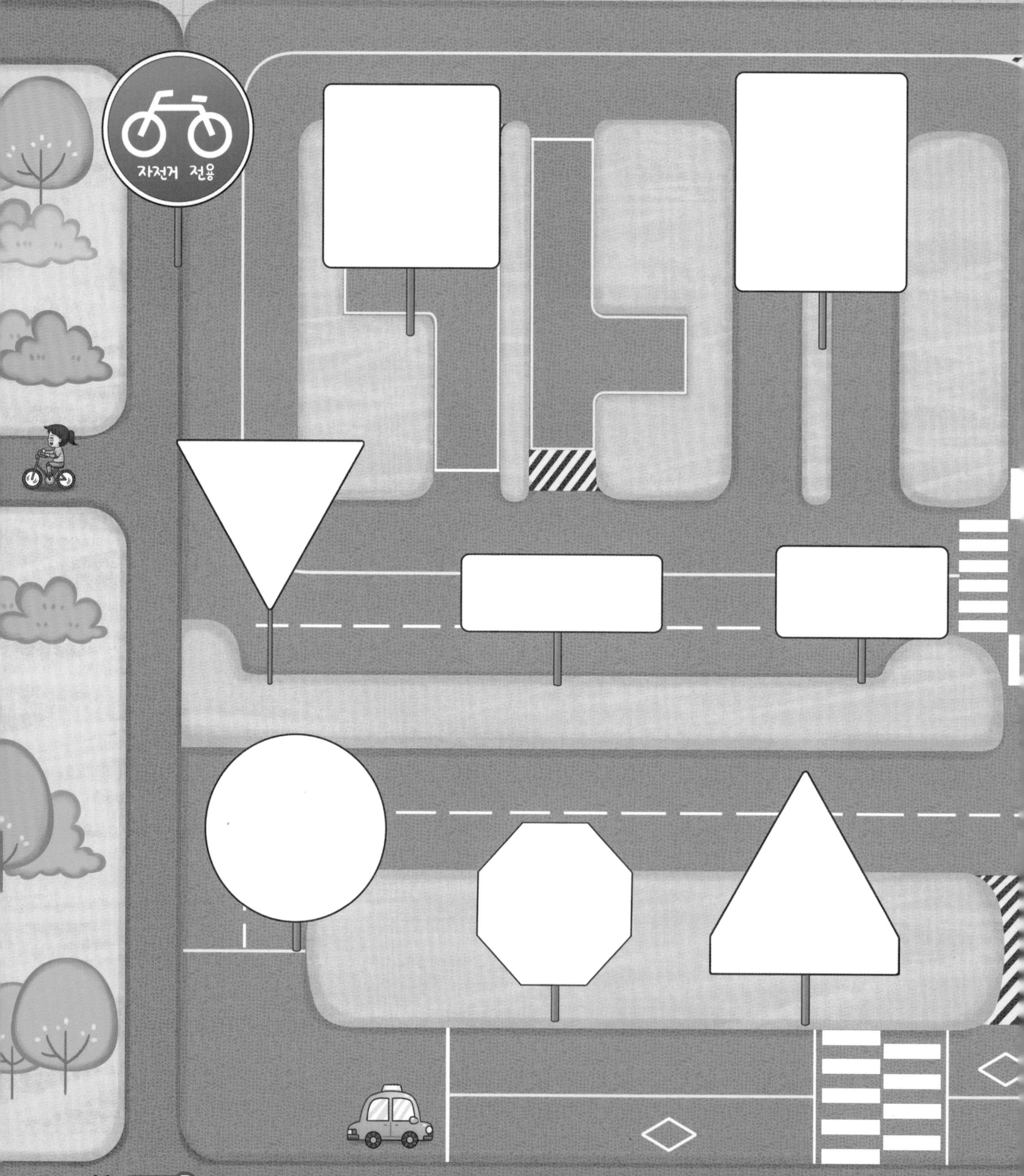

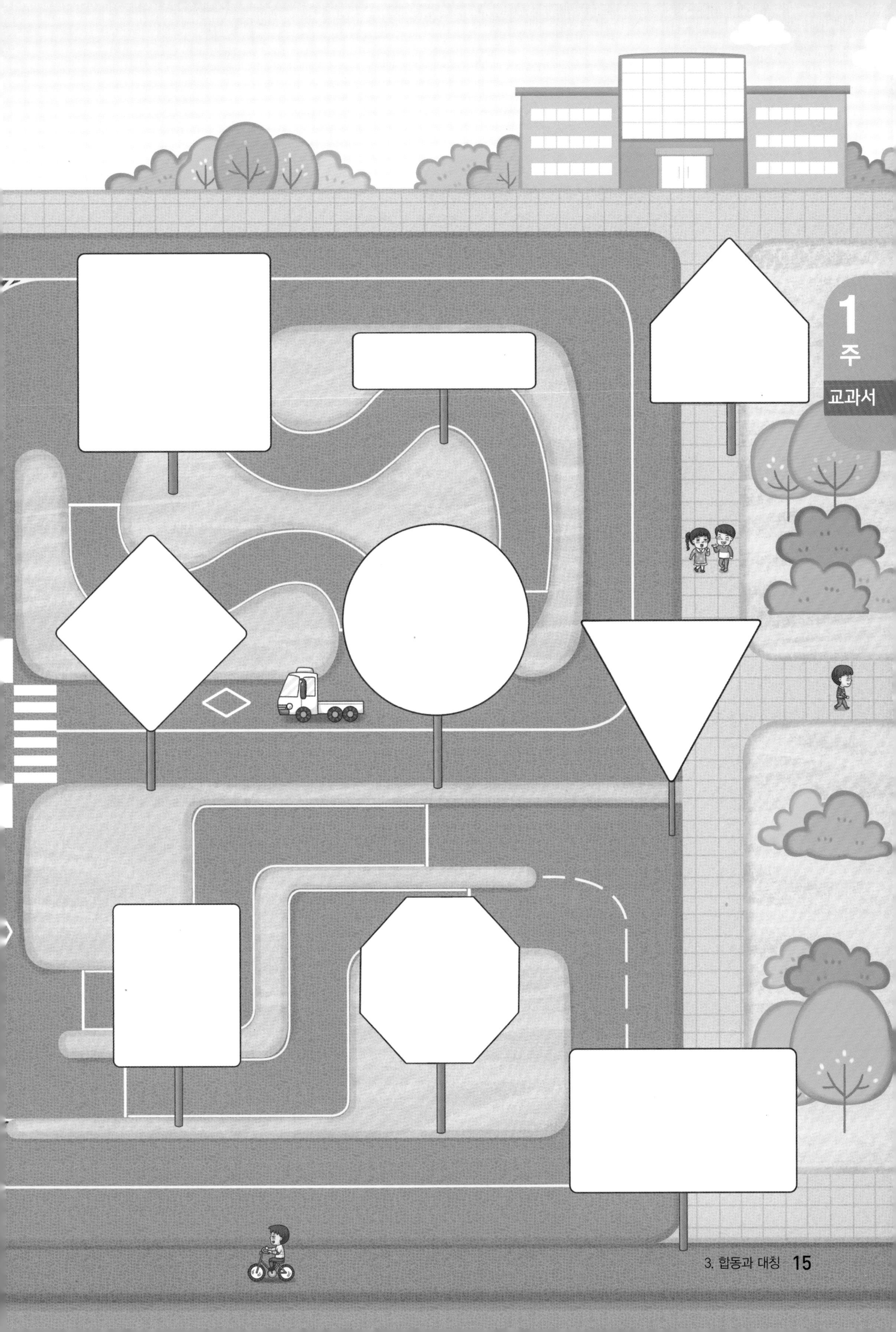
1
주
교과서

PLAY 교과서 개념 스토리

퍼즐 조각

준비물 붙임딱지

학생들이 가지고 있는 퍼즐 조각의 일부분입니다.
조각들이 선대칭도형과 점대칭도형이 되도록 각각 붙임딱지를 붙여 보세요.

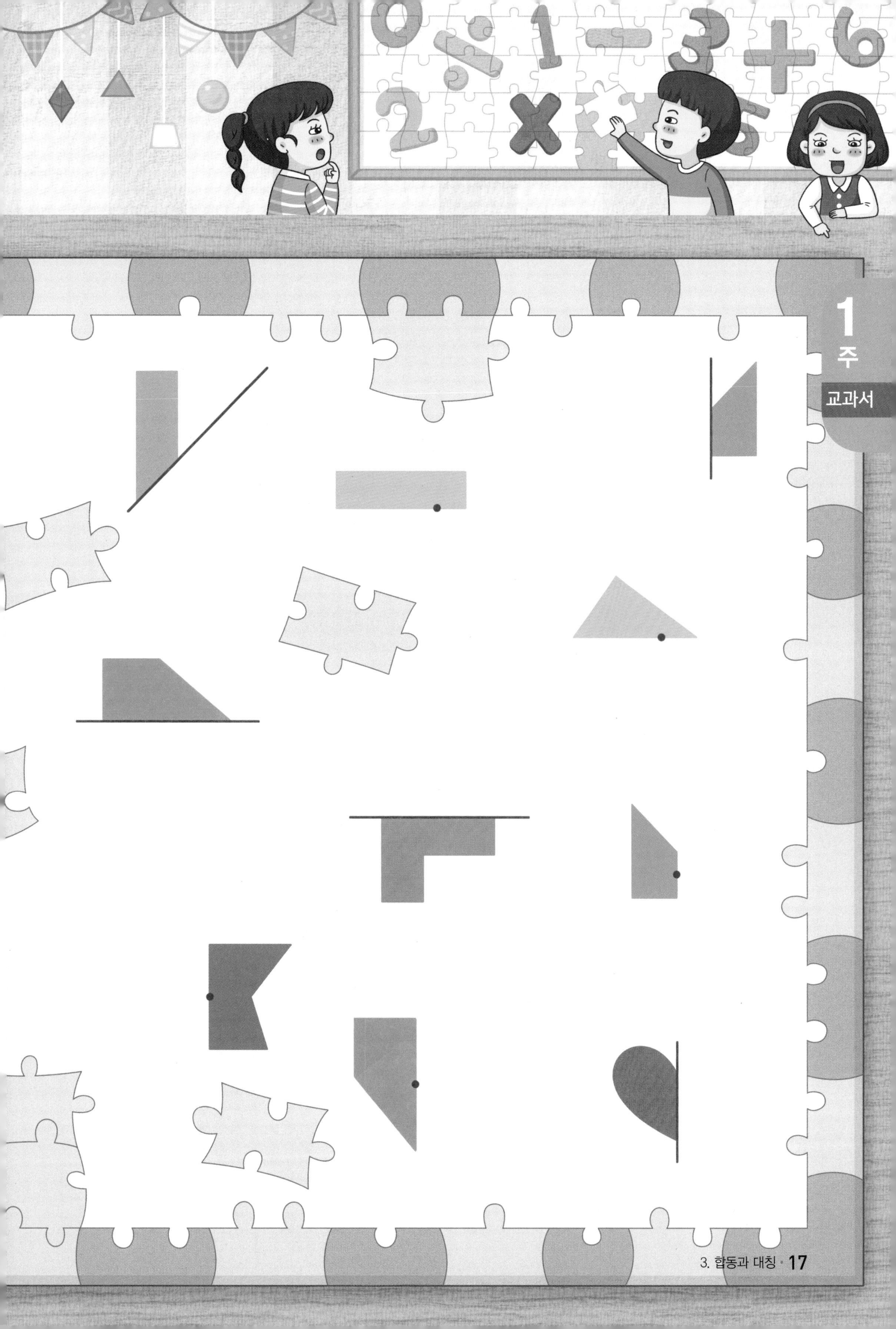
1
주
교과서

2단계 교과서 개념 다지기

개념 1 도형의 합동 알아보기

01 서로 합동인 도형을 모두 찾아 써 보세요.

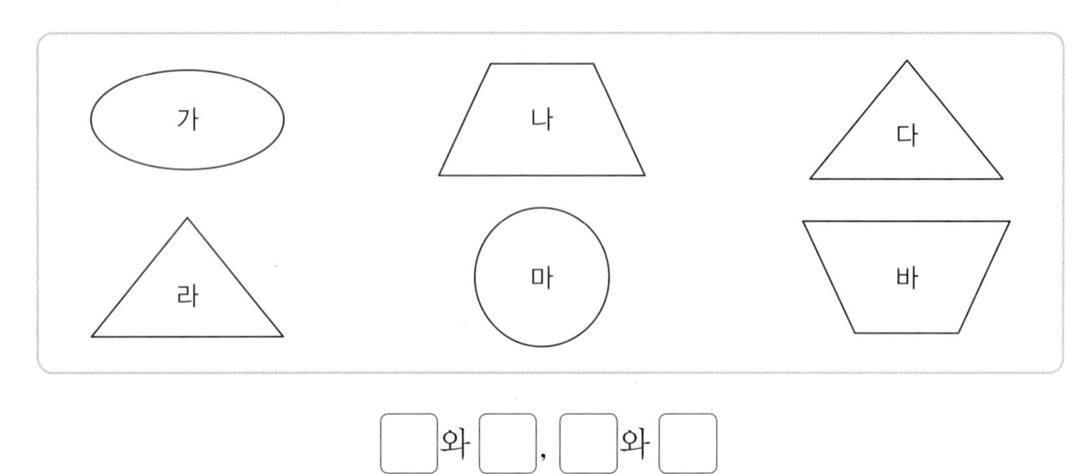

☐와 ☐, ☐와 ☐

02 주어진 도형과 서로 합동인 도형을 그려 보세요.

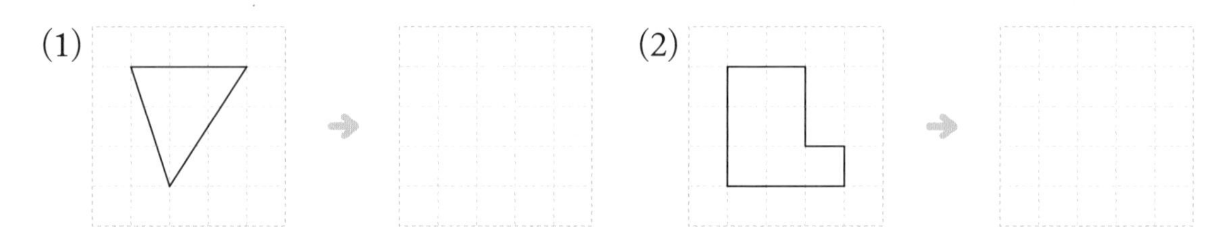

03 마름모에 선을 2개 그어 서로 합동인 삼각형 4개를 만들어 보세요.

개념 2 합동인 도형의 성질 알아보기

04 두 삼각형은 서로 합동입니다. 대응점, 대응변, 대응각을 각각 써 보세요.

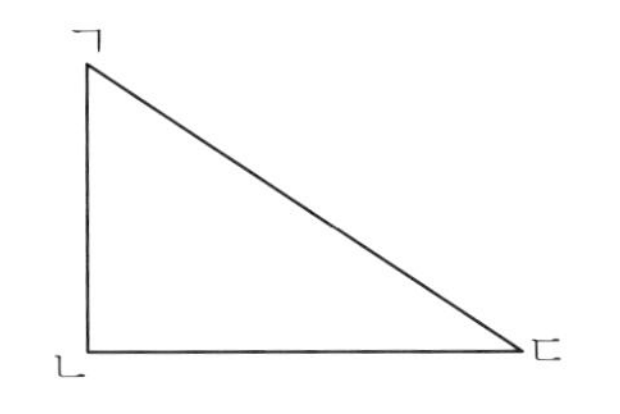

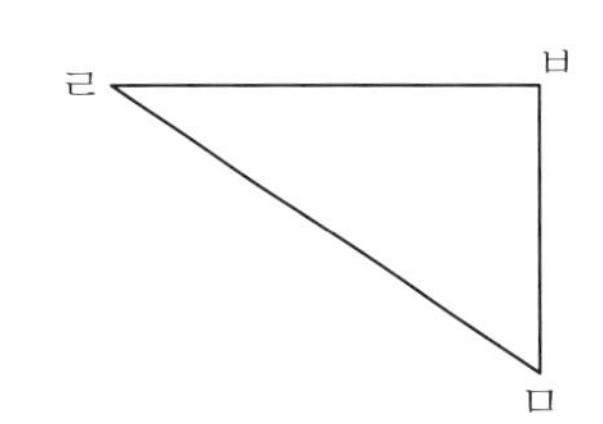

점 ㄱ의 대응점 (　　　　　)

변 ㄴㄷ의 대응변 (　　　　　)

각 ㄷㄱㄴ의 대응각 (　　　　　)

05 두 사각형은 서로 합동입니다. 물음에 답하세요.

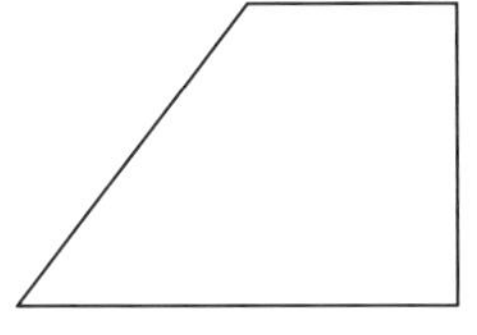

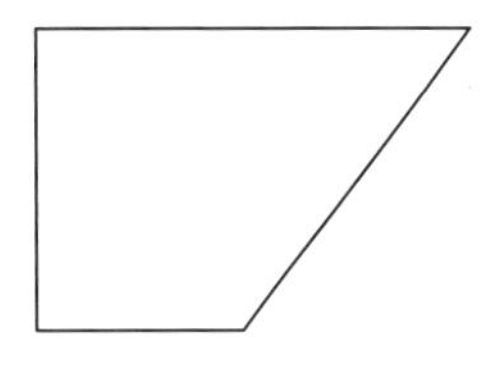

(1) 대응점은 몇 쌍일까요?

(　　　　　)

(2) 대응변은 몇 쌍일까요?

(　　　　　)

(3) 대응각은 몇 쌍일까요?

(　　　　　)

06 두 삼각형은 서로 합동입니다. 각 ㄹㅂㅁ은 몇 도인지 구해 보세요.

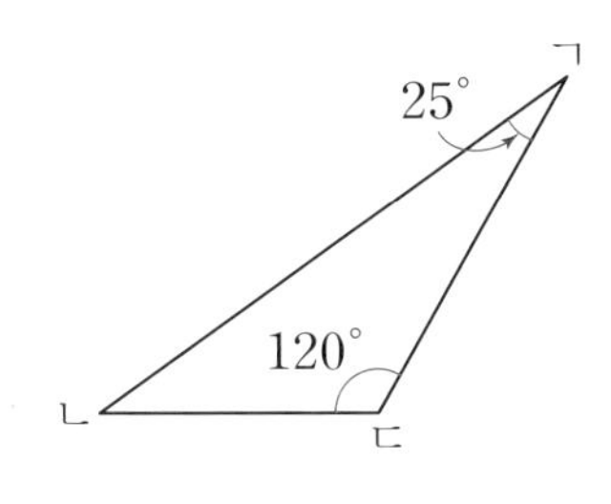

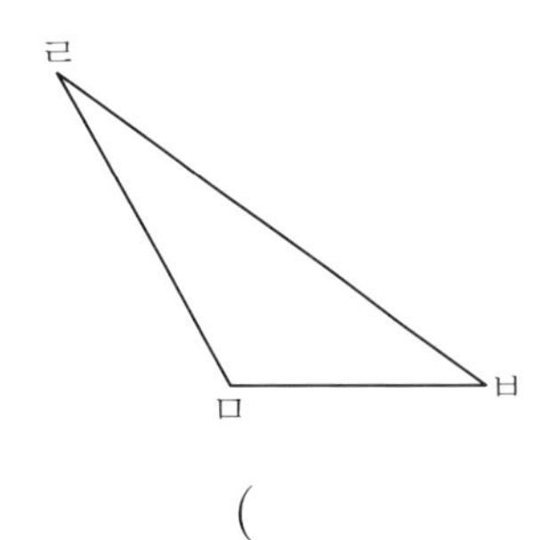

(　　　　　)

개념 3 선대칭도형 알아보기

07 선대칭도형이 아닌 것을 찾아 기호를 써 보세요.

( )

08 다음 도형은 선대칭도형입니다. 대칭축을 모두 그려 보세요.

(1)

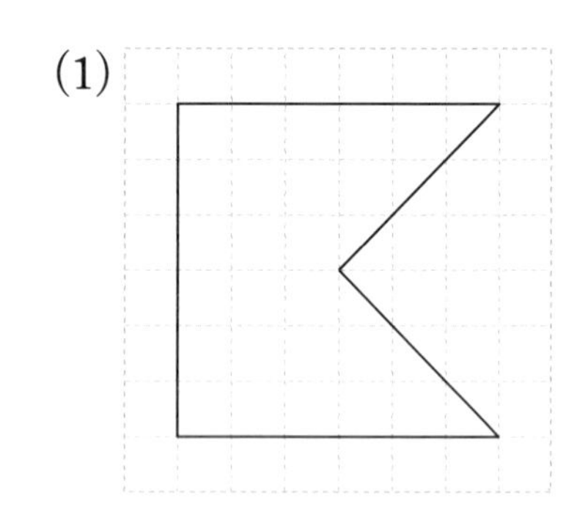

(2)

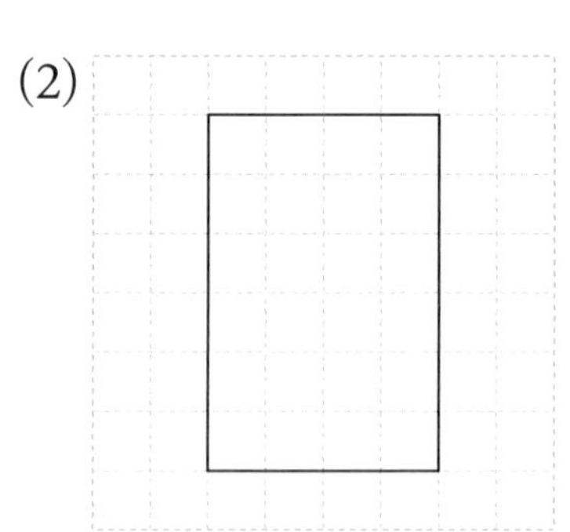

09 직선 ㄱㄴ을 대칭축으로 하는 선대칭도형입니다. □ 안에 알맞은 수를 써넣으세요.

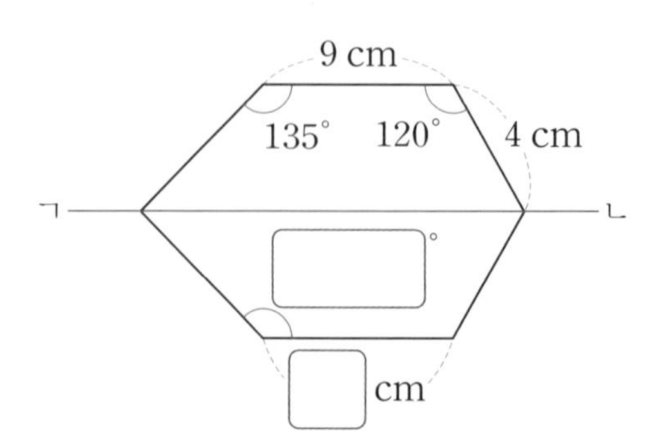

10

직선 ㄱㄴ을 대칭축으로 하는 선대칭도형을 완성해 보세요.

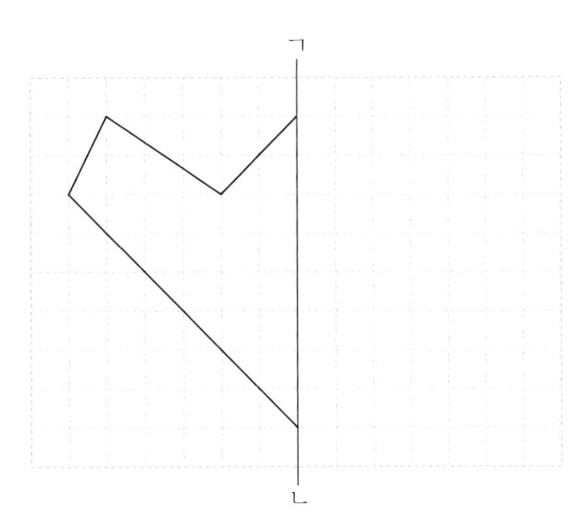

11

다음 도형은 선대칭도형입니다. 대칭축이 많은 순서대로 기호를 써 보세요.

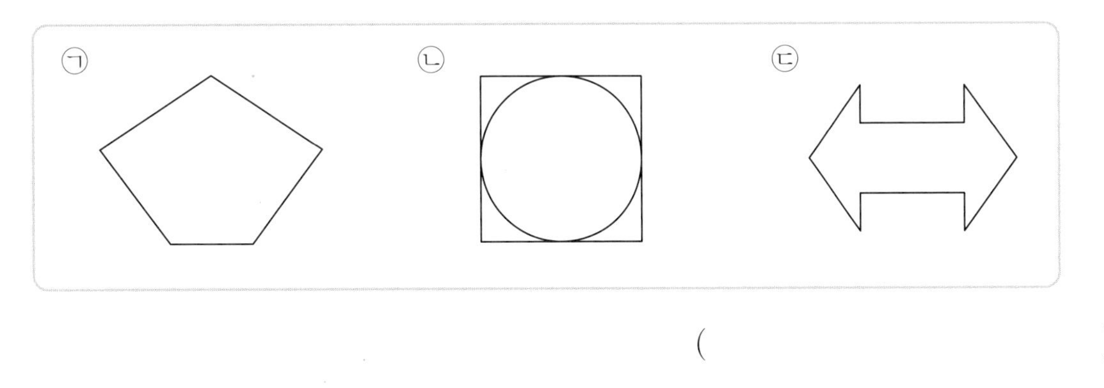

(　　　　　　　　　　)

12

직선 ㅅㅇ을 대칭축으로 하는 선대칭도형입니다. □ 안에 알맞은 수를 써넣으세요.

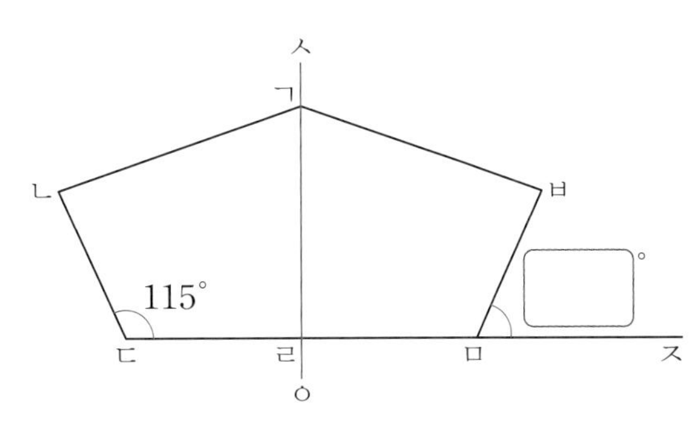

개념 4 점대칭도형 알아보기

13 점대칭도형을 찾아 기호를 써 보세요.

(   )

14 다음 도형은 점대칭도형입니다. 대칭의 중심을 찾아 점(•)으로 표시해 보세요.

(1)
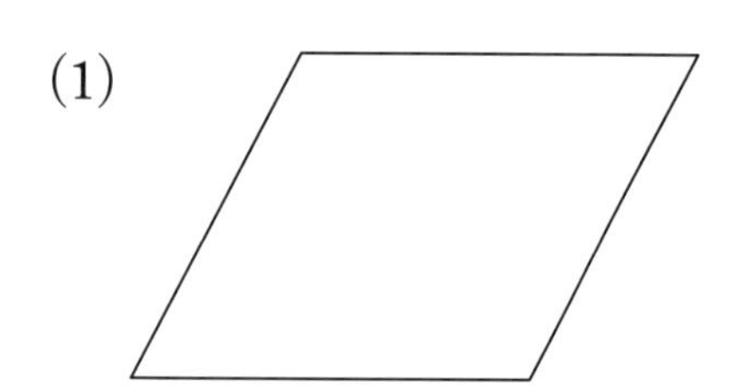

(2)
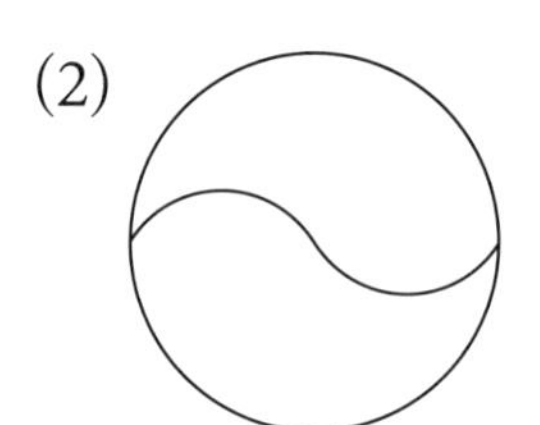

15 점 ㅇ을 대칭의 중심으로 하는 점대칭도형입니다. 물음에 답하세요.

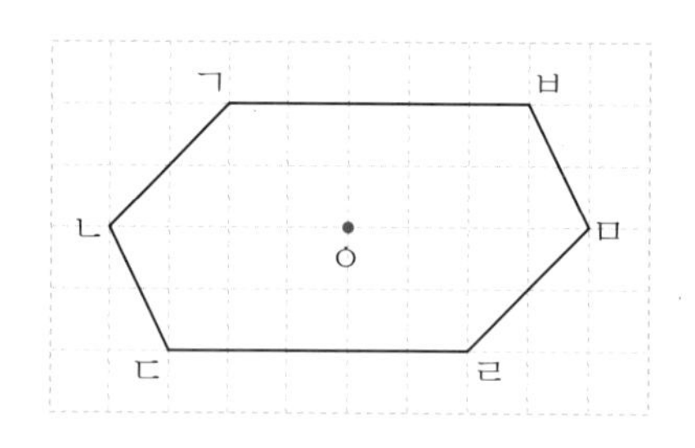

(1) 각각의 대응변을 찾아 써 보세요.

변 ㄱㄴ	변 ㄴㄷ	변 ㄷㄹ

(2) 각각의 대응각을 찾아 써 보세요.

각 ㄱㄴㄷ	각 ㄴㄷㄹ	각 ㄷㄹㅁ

16

점 ㅇ을 대칭의 중심으로 하는 점대칭도형입니다. □ 안에 알맞은 수를 써넣으세요.

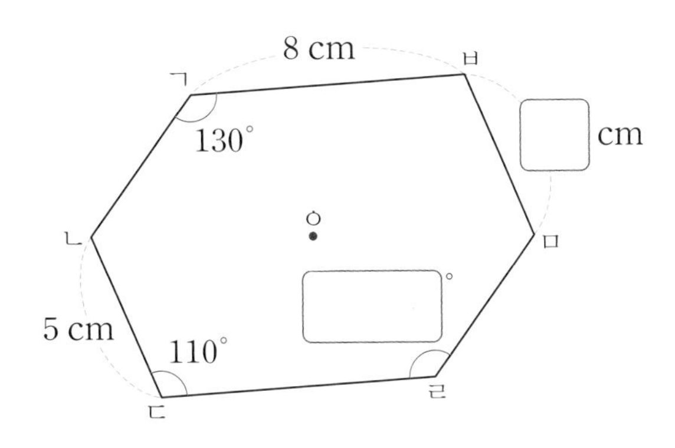

17

점 ㅇ을 대칭의 중심으로 하는 점대칭도형을 완성해 보세요.

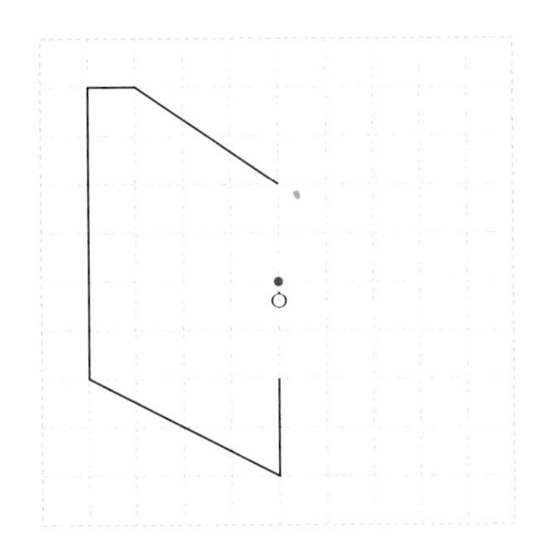

18

점 ㅇ을 대칭의 중심으로 하는 점대칭도형입니다. 선분 ㅂㅇ은 몇 cm인지 구해 보세요.

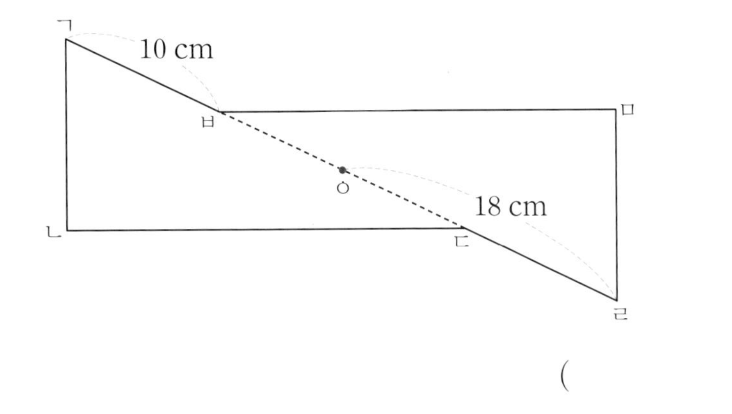

(　　　　　　　　　　)

3단계 교과서 실력 다지기

★ 합동인 도형의 변의 길이 구하기

1 두 삼각형은 서로 합동입니다. 삼각형 ㄱㄴㄷ의 둘레가 33 cm일 때 변 ㅁㅂ은 몇 cm인지 구해 보세요.

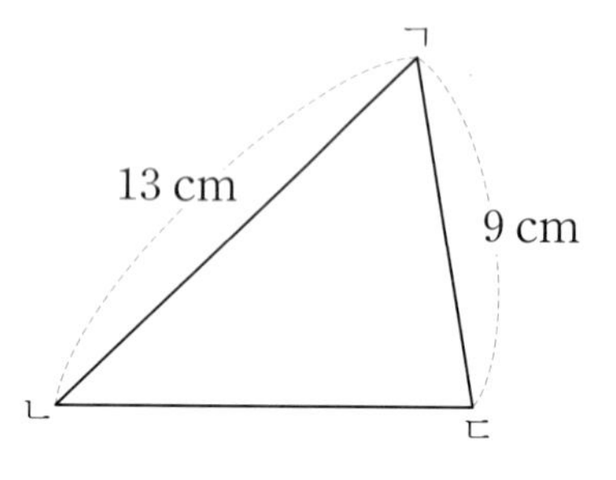

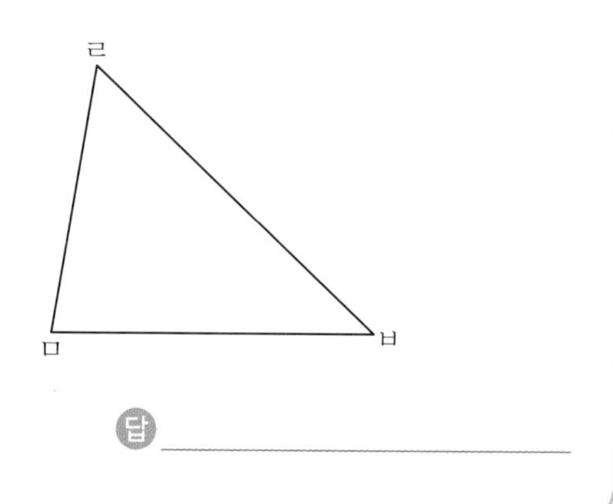

답 ________________

개념 피드백 서로 합동인 두 도형에서 각각의 대응변의 길이는 서로 같습니다.

1-1 두 삼각형은 서로 합동입니다. 삼각형 ㄹㅁㅂ의 둘레가 29 cm일 때 변 ㄱㄷ은 몇 cm인지 구해 보세요.

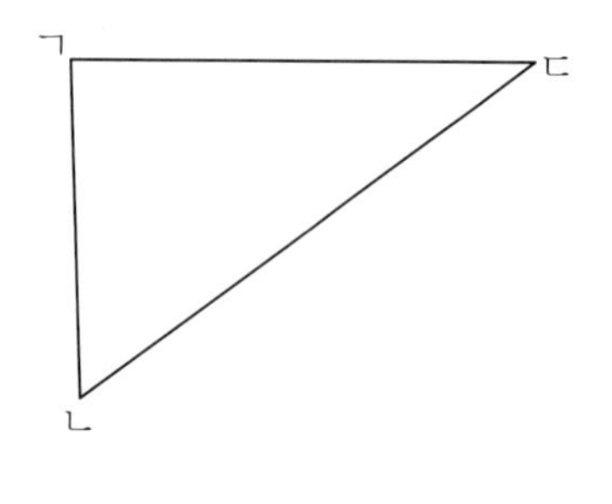

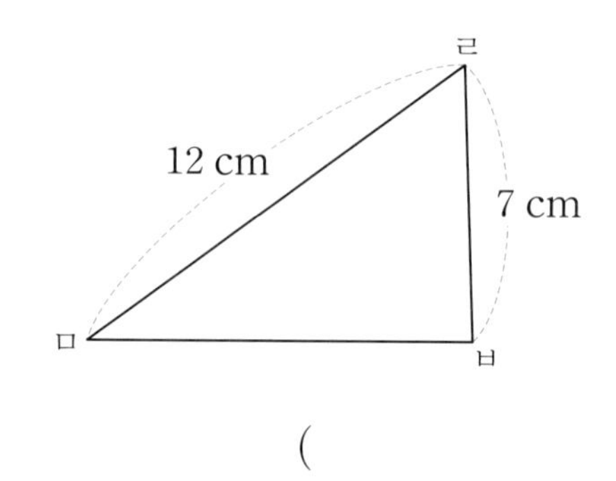

(   )

1-2 두 사각형은 서로 합동입니다. 사각형 ㄱㄴㄷㄹ의 둘레가 52 cm일 때 변 ㄱㄴ은 몇 cm인지 구해 보세요.

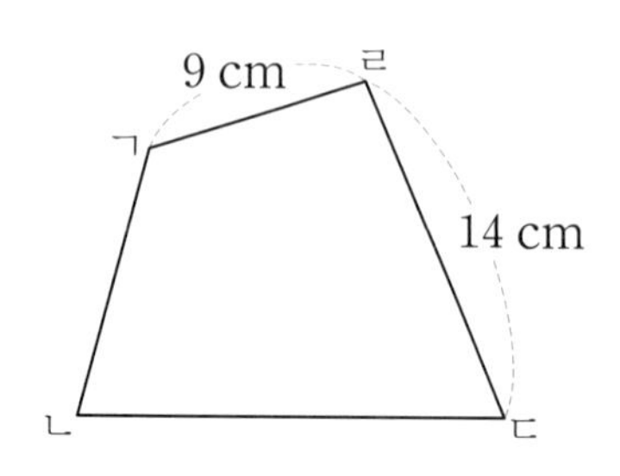

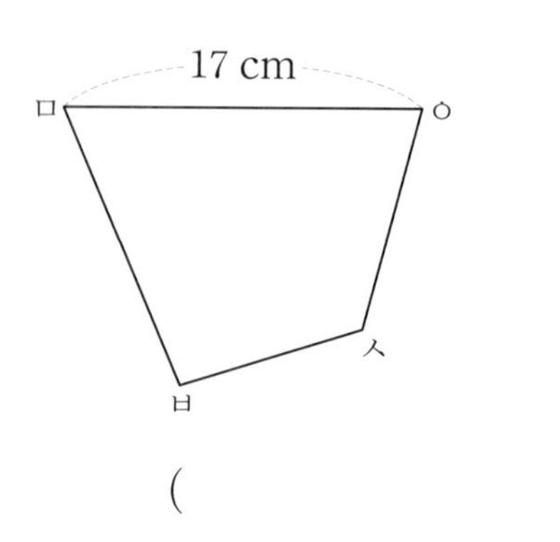

(   )

합동인 도형의 각의 크기 구하기

2 두 사각형은 서로 합동입니다. 각 ㅁㅇㅅ은 몇 도인지 구해 보세요.

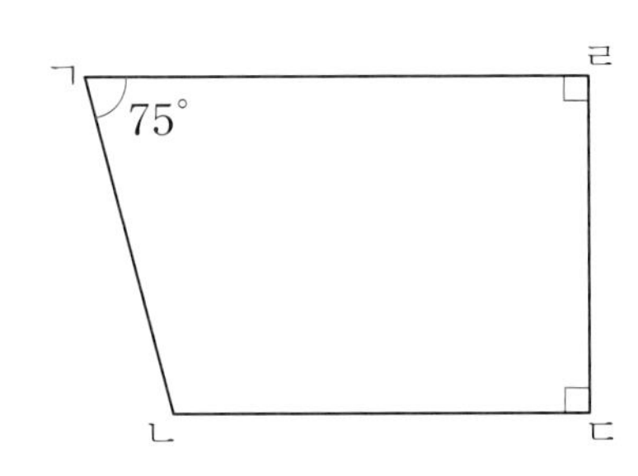

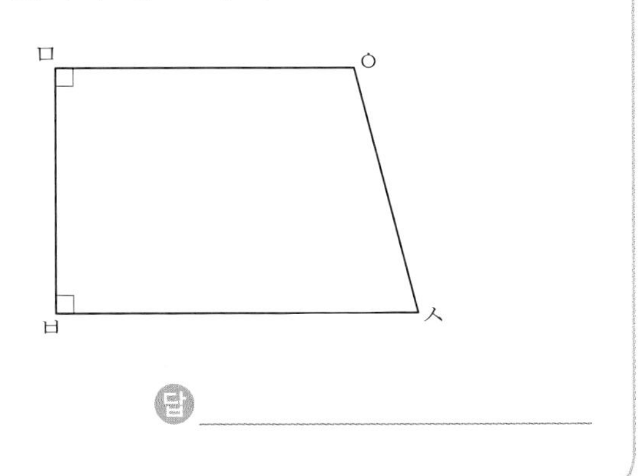

답 ____________

개념 피드백
- 사각형의 네 각의 크기의 합은 360°입니다.
- 서로 합동인 두 도형에서 각각의 대응각의 크기는 서로 같습니다.

2-1 두 삼각형은 서로 합동입니다. 각 ㅁㄷㄹ은 몇 도인지 구해 보세요.

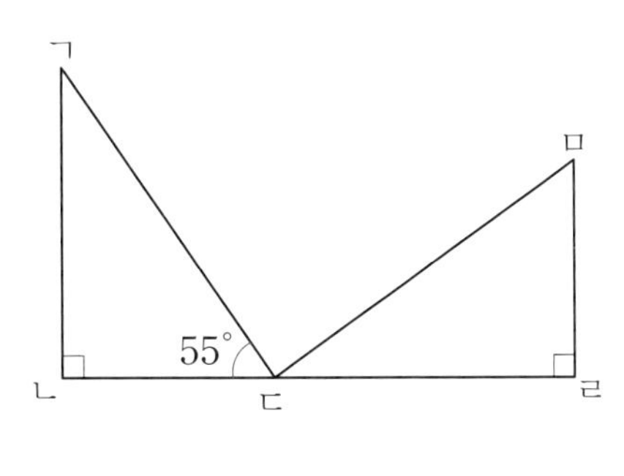

(　　　　　　　　)

2-2 삼각형 ㄱㄴㄷ과 삼각형 ㄹㄷㄴ은 서로 합동입니다. 각 ㄹㄴㄷ은 몇 도인지 구해 보세요.

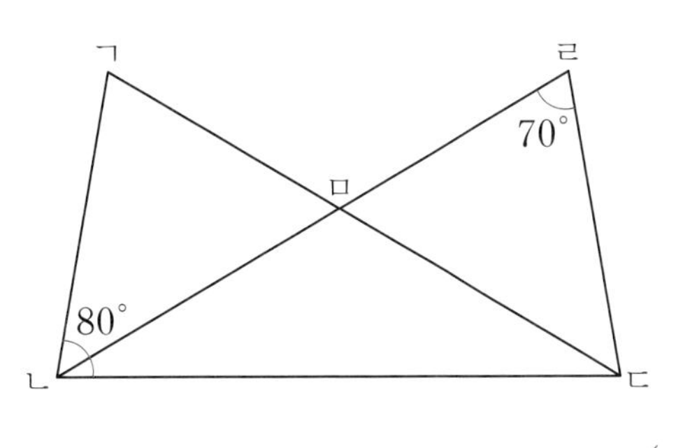

(　　　　　　　　)

★ 선대칭도형도 되고 점대칭도형도 되는 도형 찾기

3 선대칭도형도 되고 점대칭도형도 되는 도형을 모두 찾아 기호를 써 보세요.

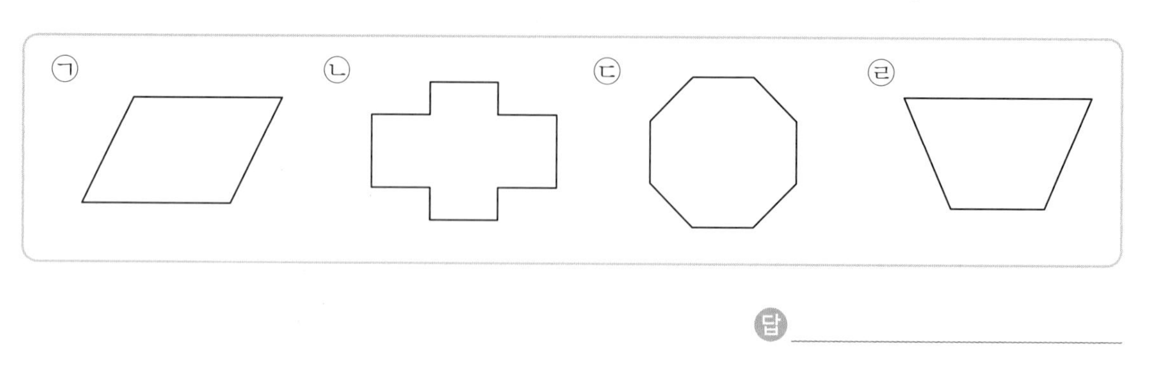

답 ________________

개념 피드백

- 선대칭도형: 한 직선을 따라 접었을 때 완전히 겹치는 도형
- 점대칭도형: 어떤 점을 중심으로 180° 돌렸을 때 처음 도형과 완전히 겹치는 도형

3-1 선대칭도형도 되고 점대칭도형도 되는 알파벳을 모두 찾아 써 보세요.

A D F H N O

(   )

3-2 선대칭도형도 되고 점대칭도형도 되는 도형을 모두 찾아 기호를 써 보세요.

㉠ 정삼각형	㉡ 정사각형
㉢ 평행사변형	㉣ 마름모

(   )

선대칭도형의 대칭축 찾기

4 다음 도형은 선대칭도형입니다. 대칭축을 모두 그려 보세요.

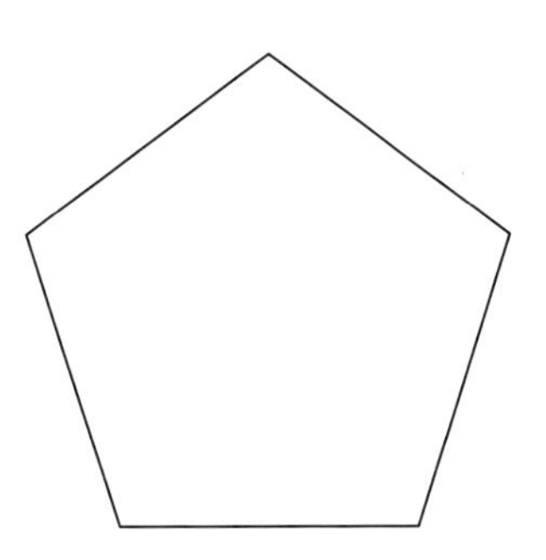

개념 피드백 도형이 완전히 겹치도록 접을 수 있는 직선을 선대칭도형의 대칭축이라고 합니다.

4-1 다음 도형은 선대칭도형입니다. 대칭축의 수가 많은 것부터 차례로 기호를 써 보세요.

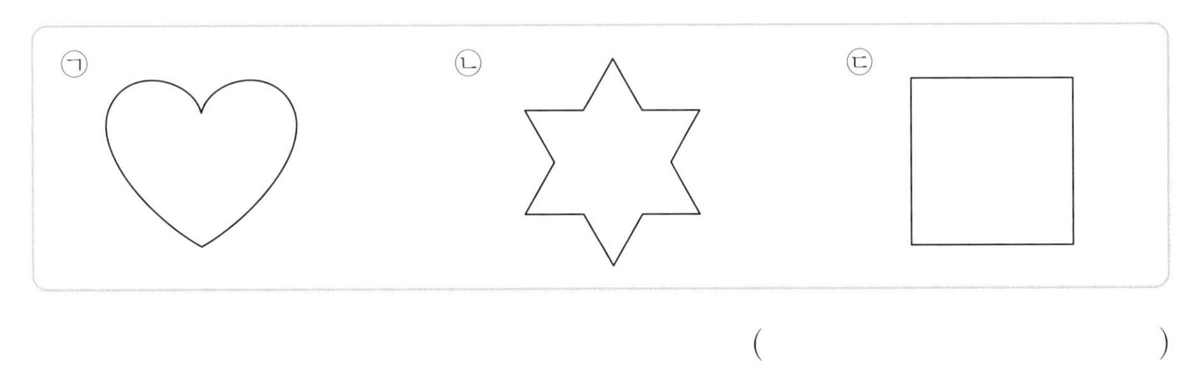

( )

4-2 다음 도형은 선대칭도형입니다. 대칭축의 수가 다른 하나를 찾아 기호를 써 보세요.

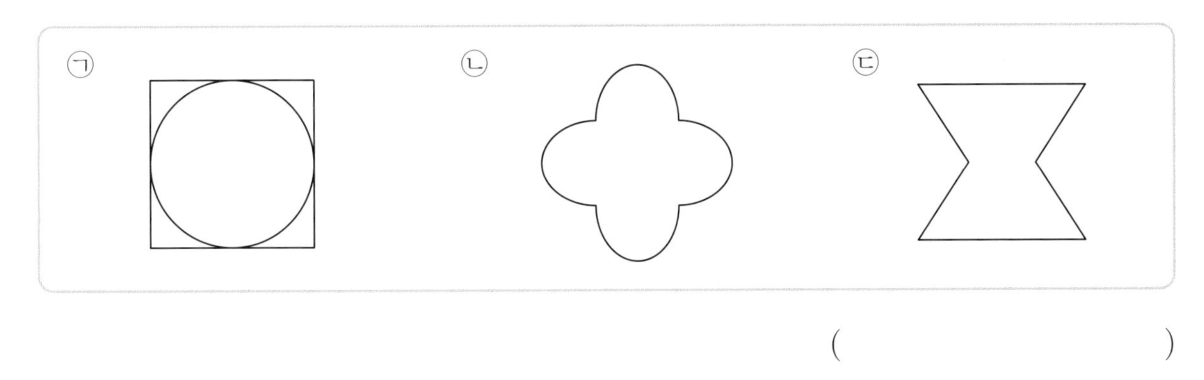

( )

★ 선대칭도형의 둘레 구하기

5 직선 ㅅㅇ을 대칭축으로 하는 선대칭도형입니다. 선대칭도형의 둘레는 몇 cm인지 구해 보세요.

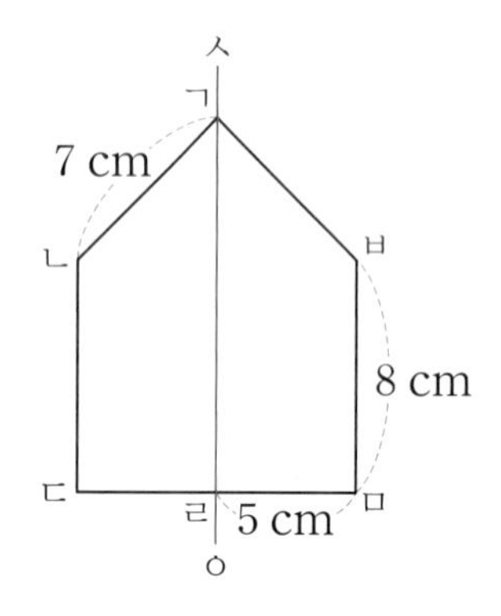

답 ______________

개념 피드백
- 선대칭도형에서 각각의 대응변의 길이는 서로 같습니다.
- 대응변: 변 ㄱㄴ과 변 ㄱㅂ, 변 ㄴㄷ과 변 ㅂㅁ, 변 ㄷㄹ과 변 ㅁㄹ

5-1 직선 ㅅㅇ을 대칭축으로 하는 선대칭도형입니다. 선대칭도형의 둘레는 몇 cm인지 구해 보세요.

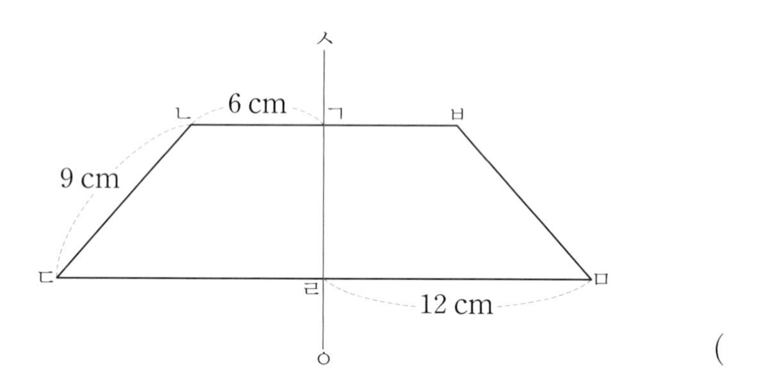

(   )

5-2 직선 ㅈㅊ을 대칭축으로 하는 선대칭도형입니다. 선대칭도형의 둘레는 몇 cm인지 구해 보세요.

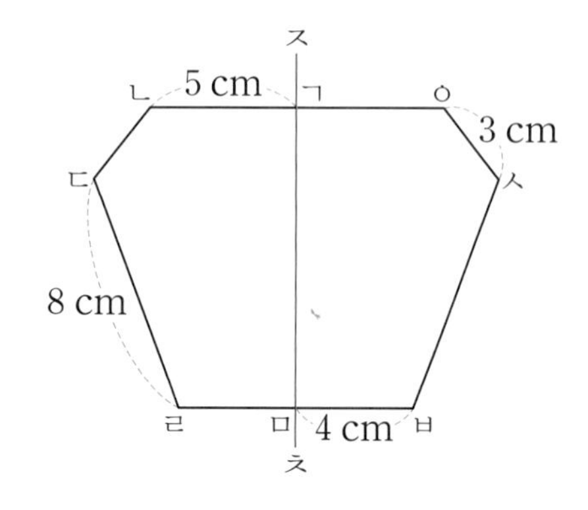

(   )

★ 점대칭도형의 넓이 구하기

6 점 ㅈ을 대칭의 중심으로 하는 점대칭도형입니다. 점대칭도형의 넓이는 몇 cm^2인지 구해 보세요.

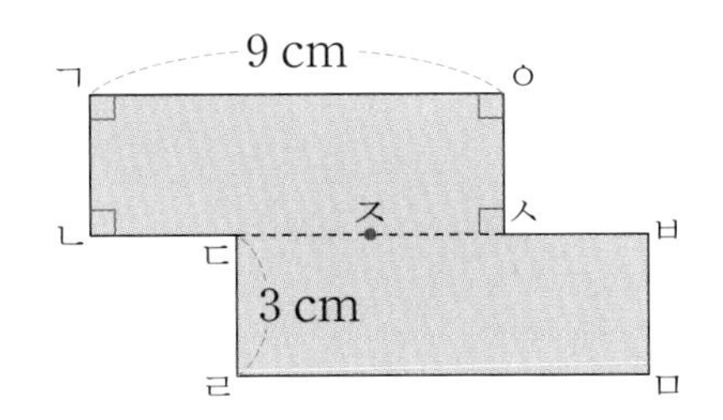

답 ______________

- 점대칭도형에서 각각의 대응변의 길이, 대응각의 크기는 서로 같습니다.
- 대응변: 변 ㄱㄴ과 변 ㅁㅂ, 변 ㄴㄷ과 변 ㅂㅅ, 변 ㄷㄹ과 변 ㅅㅇ, 변 ㄹㅁ과 변 ㅇㄱ

6-1 점 ㅈ을 대칭의 중심으로 하는 점대칭도형입니다. 점대칭도형의 넓이는 몇 cm^2인지 구해 보세요.

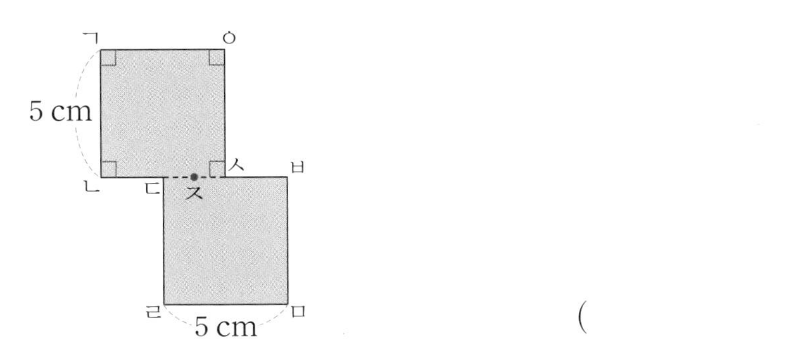

( )

6-2 점 ㅅ을 대칭의 중심으로 하는 점대칭도형입니다. 점대칭도형의 넓이는 몇 cm^2인지 구해 보세요.

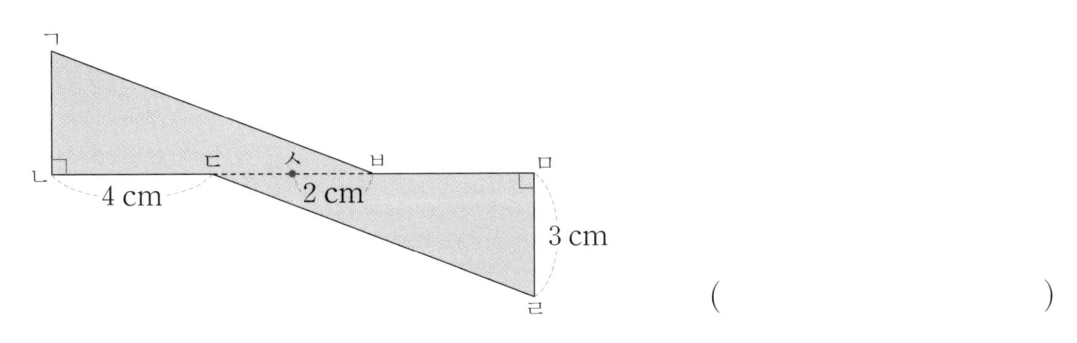

( )

교과서 서술형 연습

서술형 연습

1 두 직사각형은 서로 합동입니다. 직사각형 ㄱㄴㄷㄹ의 넓이는 몇 cm^2인지 구해 보세요.

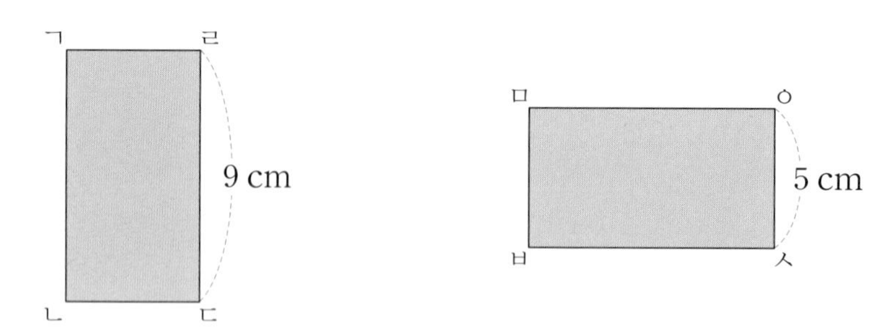

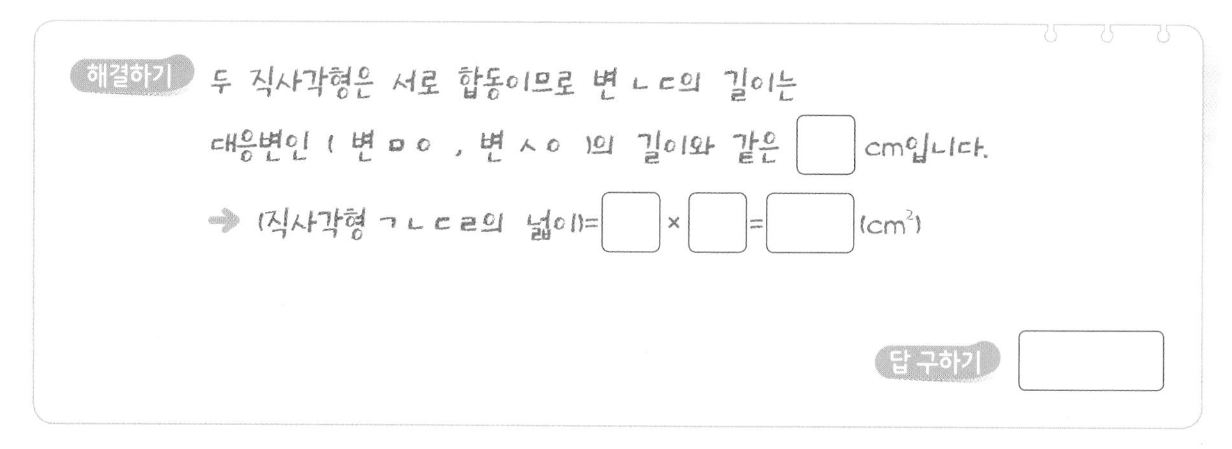

해결하기
두 직사각형은 서로 합동이므로 변 ㄴㄷ의 길이는
대응변인 (변 ㅁㅇ , 변 ㅅㅇ)의 길이와 같은 ☐ cm입니다.
➜ (직사각형 ㄱㄴㄷㄹ의 넓이)=☐×☐=☐(cm²)
답 구하기

서술형 실전

2 두 직사각형은 서로 합동입니다. 직사각형 ㄱㄴㄷㄹ의 넓이는 몇 cm^2인지 구해 보세요.

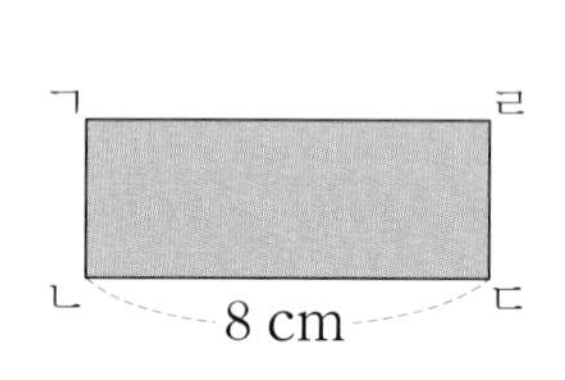

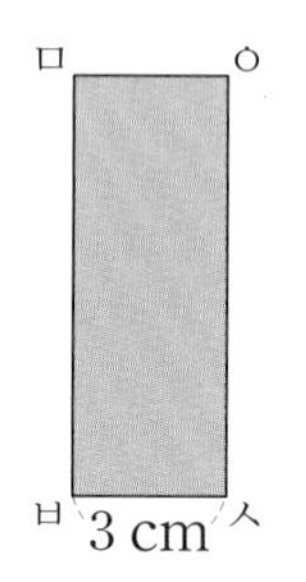

해결하기

답 구하기

3 점 ㅇ을 대칭의 중심으로 하는 점대칭도형입니다. 각 ㄱㄹㄷ은 몇 도인지 구해 보세요.

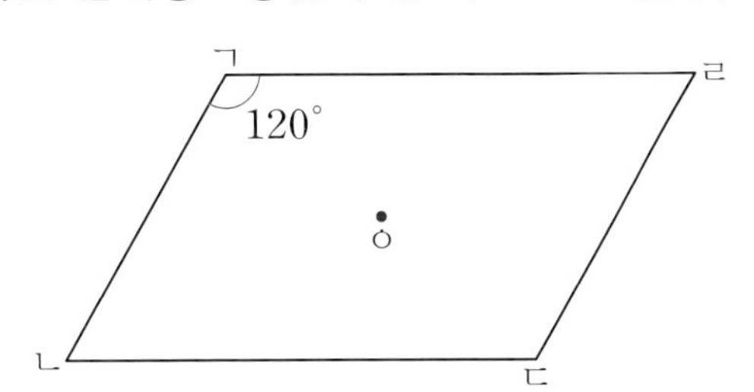

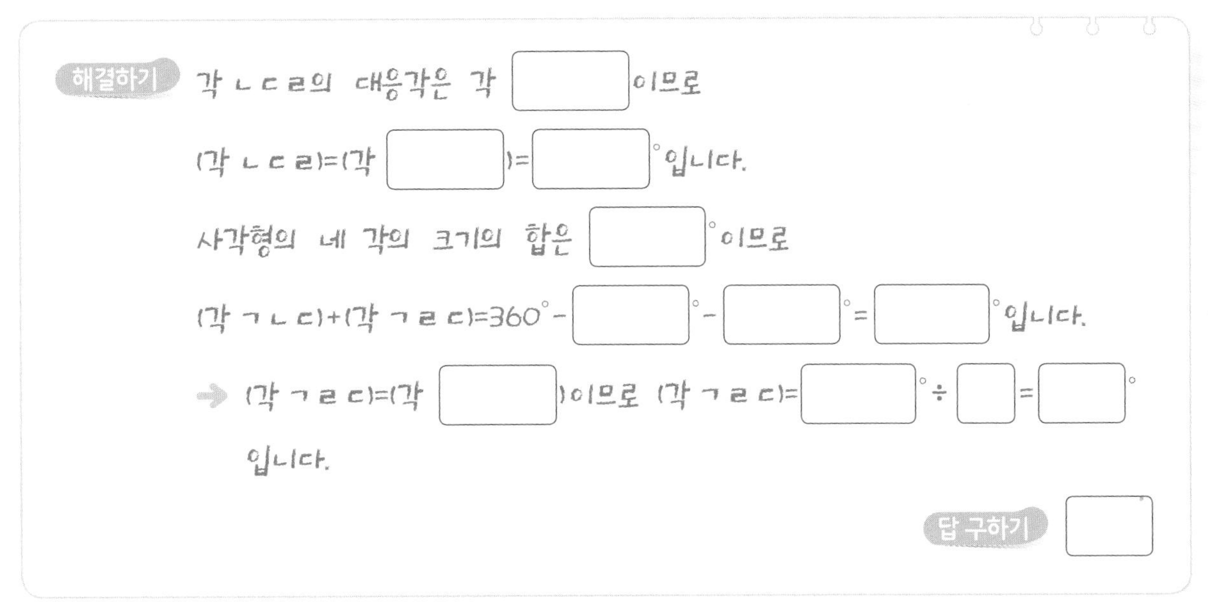

해결하기 각 ㄴㄷㄹ의 대응각은 각 ☐이므로

(각 ㄴㄷㄹ)=(각 ☐)=☐°입니다.

사각형의 네 각의 크기의 합은 ☐°이므로

(각 ㄱㄴㄷ)+(각 ㄱㄹㄷ)=360°−☐°−☐°=☐°입니다.

→ (각 ㄱㄹㄷ)=(각 ☐)이므로 (각 ㄱㄹㄷ)=☐°÷☐=☐°입니다.

답 구하기 ☐

서술형 실전

4 점 ㅇ을 대칭의 중심으로 하는 점대칭도형입니다. 각 ㄴㄷㄹ은 몇 도인지 구해 보세요.

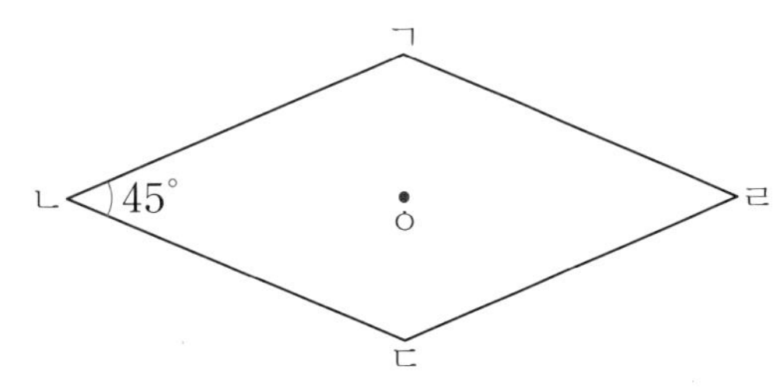

해결하기

답 구하기

PLAY 사고력 개념 스토리

돌림판 만들기

준비물 붙임딱지

돌림판이 빨간색 선을 대칭축으로 하는 선대칭도형이 되도록 만들려고 합니다. 붙임딱지를 알맞게 붙여 보세요.

자유롭게 꾸며 선대칭인 돌림판을 만들어 보세요.

돌림판이 빨간색 점을 대칭의 중심으로 하는 점대칭도형이 되도록 만들려고 합니다. 붙임딱지를 알맞게 붙여 보세요.

2 주
사고력
자유롭게 꾸며 점대칭인 돌림판을 만들어 보세요.

PLAY 사고력 개념 스토리

펜토미노

준비물 붙임딱지

정사각형 5개를 이어 붙여 만든 모양

펜토미노가 선대칭도형인지 점대칭도형인지 쓰고, 정사각형 1개를 옮겨 선대칭도형은 점대칭도형으로, 점대칭도형은 선대칭도형으로 만들어 보세요.

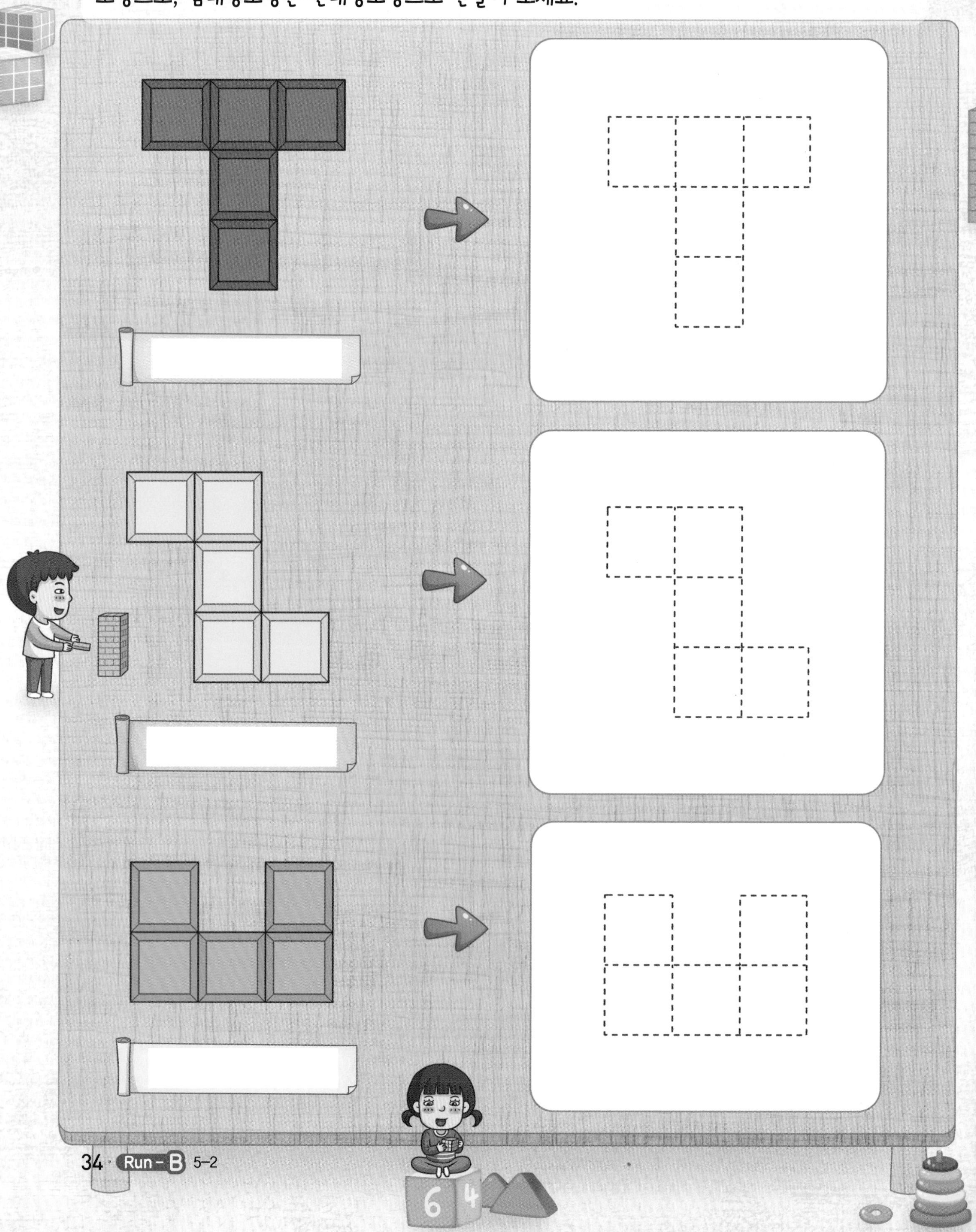

펜토미노가 선대칭도형인지 점대칭도형인지 쓰고, 정사각형 2개를 옮겨 선대칭도형은 점대칭도형으로, 점대칭도형은 선대칭도형으로 만들어 보세요.

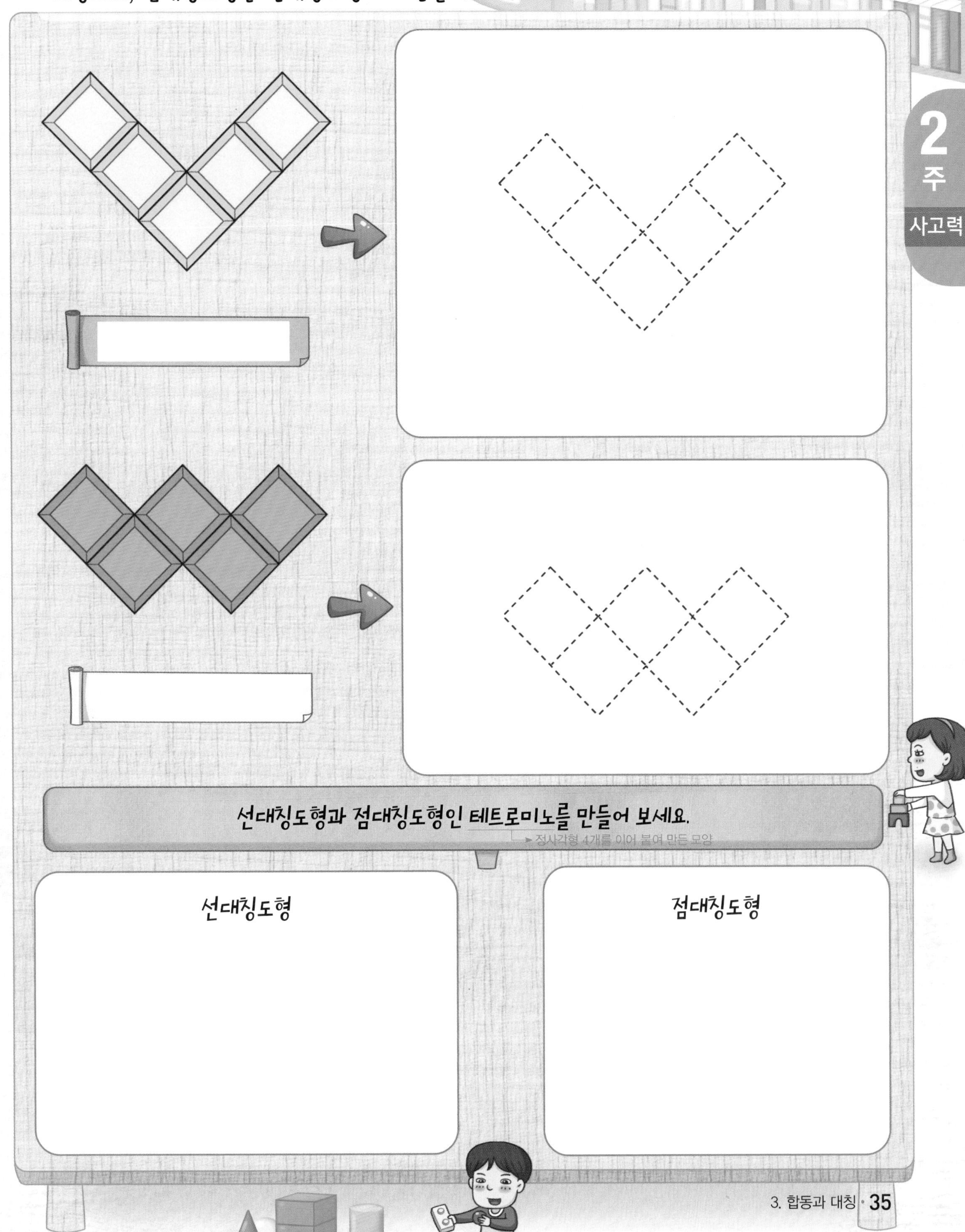

선대칭도형과 점대칭도형인 테트로미노를 만들어 보세요.

→ 정사각형 4개를 이어 붙여 만든 모양

선대칭도형

점대칭도형

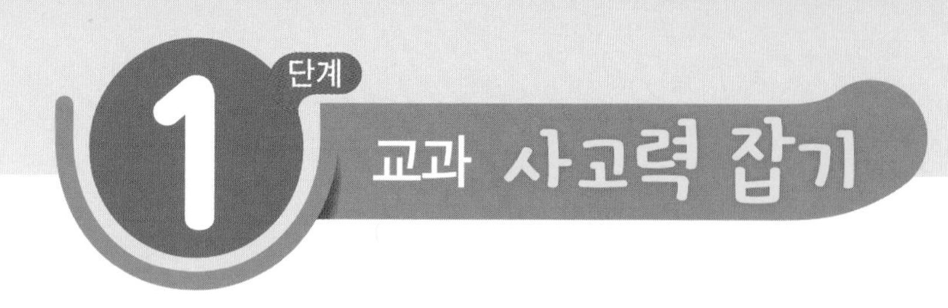

1 **사람 모양, 네모 모양, 별 모양 쿠키는 모두 선대칭입니다. 대칭축이 가장 적은 쿠키를 찾아 보세요.**

① 사람 모양 쿠키의 대칭축은 몇 개일까요?

( )

② 네모 모양 쿠키의 대칭축은 몇 개일까요?

( )

③ 별 모양 쿠키의 대칭축은 몇 개일까요?

( )

④ 대칭축이 가장 적은 쿠키는 어떤 모양 쿠키인지 써 보세요.

( )

2

점대칭도형인 숫자 중에서 3개를 골라 한 번씩만 사용하여 가장 큰 세 자리 수와 가장 작은 세 자리 수를 각각 만들어 보세요.

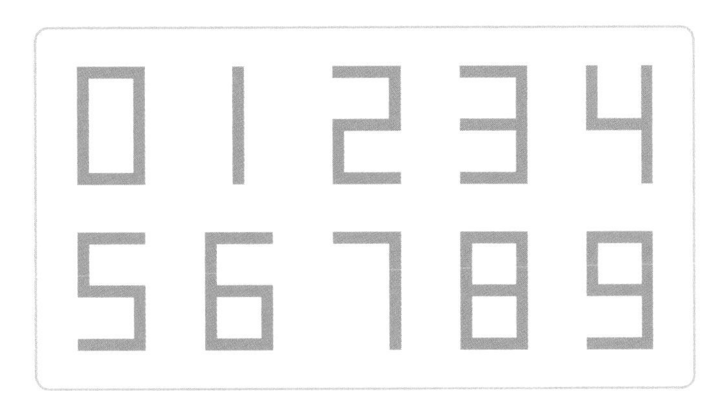

① 점대칭도형인 숫자를 모두 찾아 써 보세요.

( )

② ①에서 쓴 숫자 중에서 3개를 골라 한 번씩만 사용하여 가장 큰 세 자리 수를 만들어 보세요.

( )

③ ①에서 쓴 숫자 중에서 3개를 골라 한 번씩만 사용하여 가장 작은 세 자리 수를 만들어 보세요.

( )

3 **석진이가 만든 연입니다. 연의 몸통 부분은 점 ㅇ을 대칭의 중심으로 하는 점대칭도형입니다. 두 대각선의 길이의 합이 40 cm일 때 선분 ㄷㅇ은 몇 cm인지 구해 보세요.**

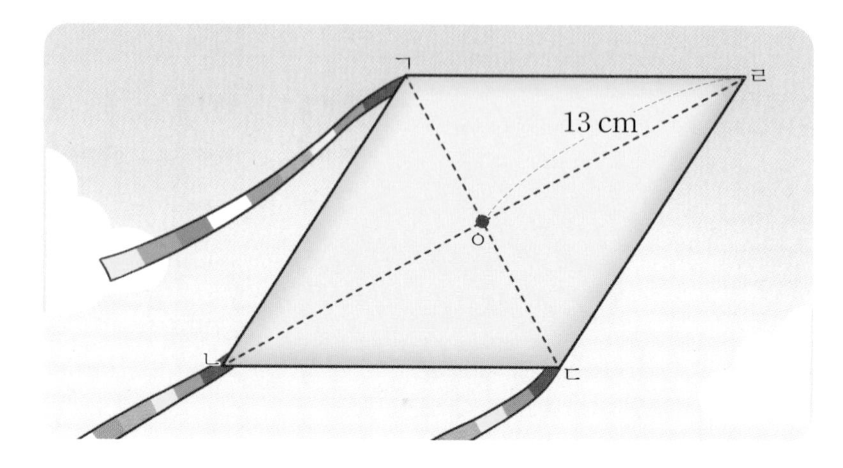

1 선분 ㄴㄹ은 몇 cm일까요?

(　　　　　　　　　　)

2 선분 ㄱㄷ은 몇 cm일까요?

(　　　　　　　　　　)

3 선분 ㄷㅇ은 몇 cm인지 구해 보세요.

(　　　　　　　　　　)

4

지민이는 직사각형 모양 색종이로 종이접기를 하고 있습니다. 접은 모양에서 삼각형 ㄱㅁㅂ과 삼각형 ㄷㅁㄹ은 서로 합동입니다. 지민이가 사용한 직사각형 모양 색종이의 넓이는 몇 cm²인지 구해 보세요.

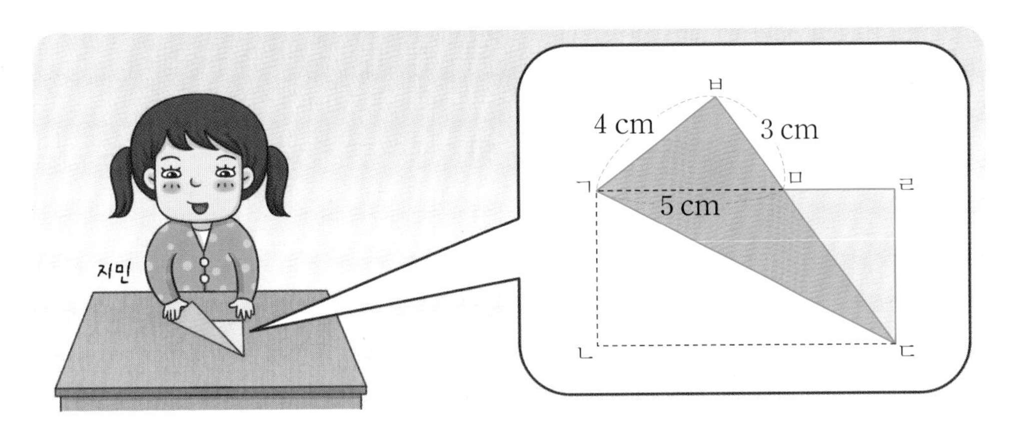

① 삼각형 ㄱㅁㅂ과 삼각형 ㄷㅁㄹ의 대응변을 모두 찾아 짝 지어 써 보세요.

( )

② 변 ㄷㄹ은 몇 cm일까요?

( )

③ 변 ㄱㄹ은 몇 cm일까요?

( )

④ 색종이의 넓이는 몇 cm²인지 구해 보세요.

( )

2 단계 교과 사고력 확장

준비물 붙임딱지

1 **성냥개비로 여러 가지 모양을 만들었습니다. 주어진 모양에 성냥개비 4개를 놓아 합동인 도형 여러 개로 만들려고 합니다. 성냥개비를 어떻게 놓아야 할지 붙임딱지를 붙여 보세요.**

① 합동인 사각형 5개 만들기

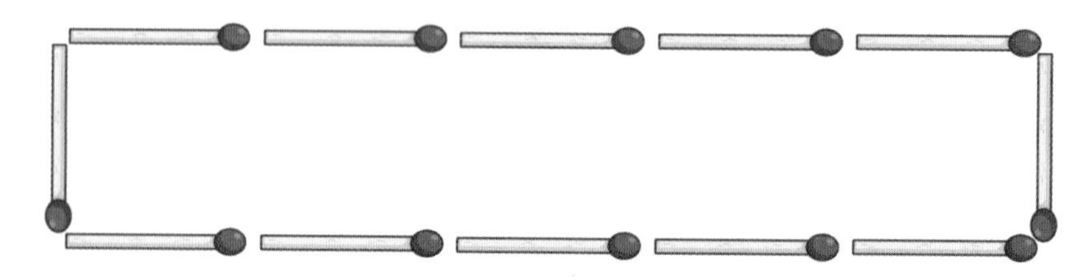

② 합동인 삼각형 5개 만들기

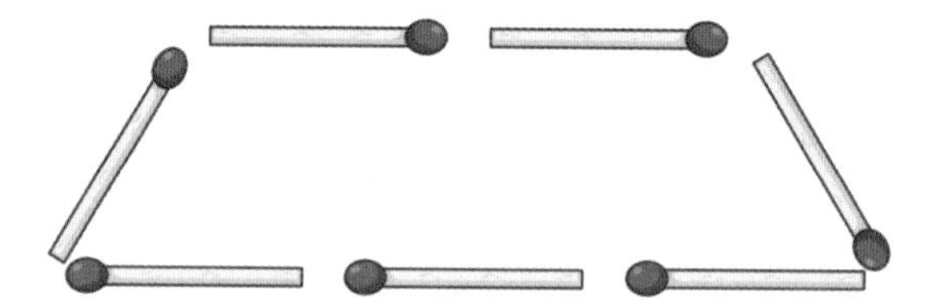

③ 합동인 사각형 5개 만들기

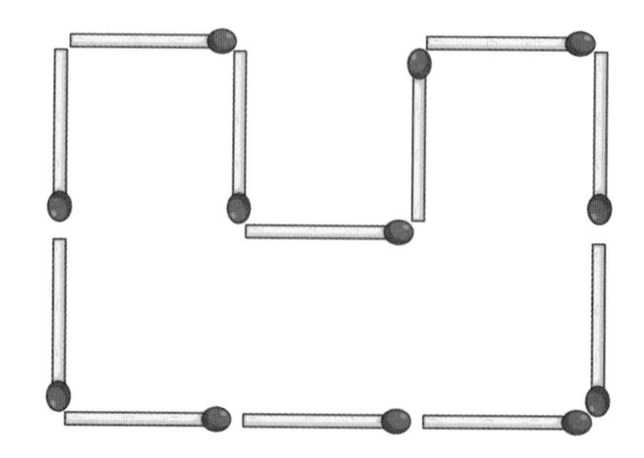

2 선대칭도형을 완성해 보고, 완성한 선대칭도형이 나타내는 수나 글자를 써 보세요.

❶

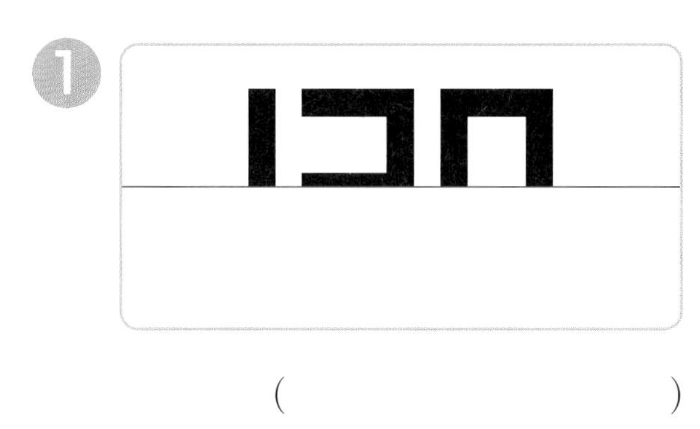

(　　　　　　　　　　)

❷

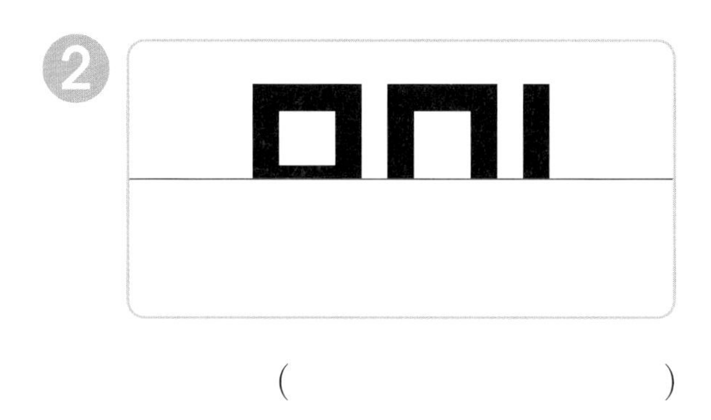

(　　　　　　　　　　)

❸

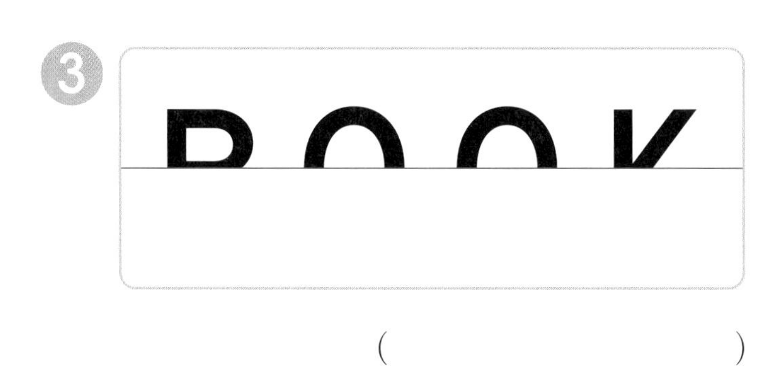

(　　　　　　　　　　)

이 단어는 '예약하다'라는
뜻도 있어요.

❹

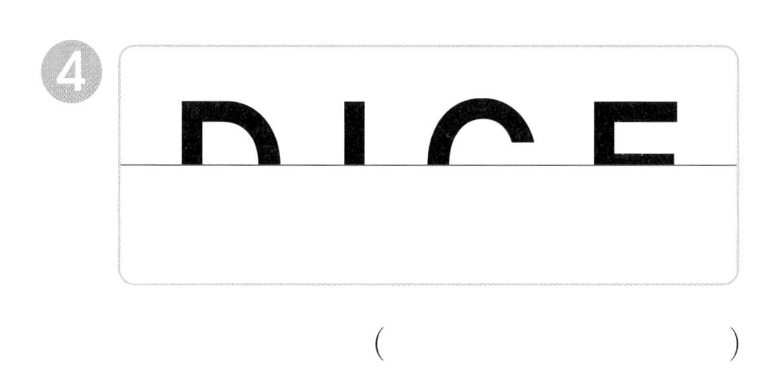

(　　　　　　　　　　)

이 단어는 '주사위'라는
뜻이에요.

3

합동인 직사각형 4개를 겹치지 않게 붙여서 오른쪽과 같은 모양을 만들었습니다. 사각형 ㄱㄴㄷㄹ의 둘레는 몇 cm인지 구해 보세요.

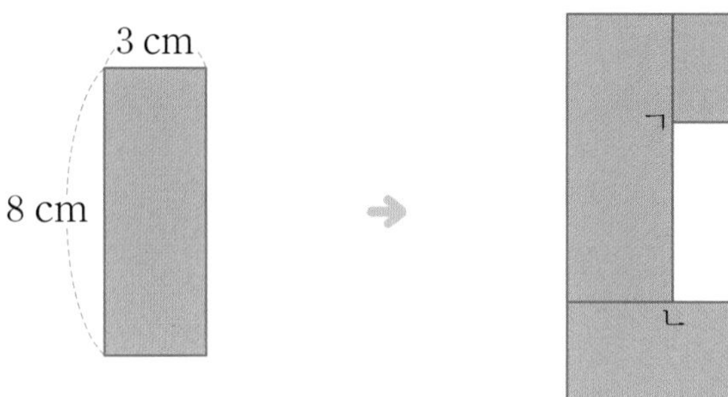

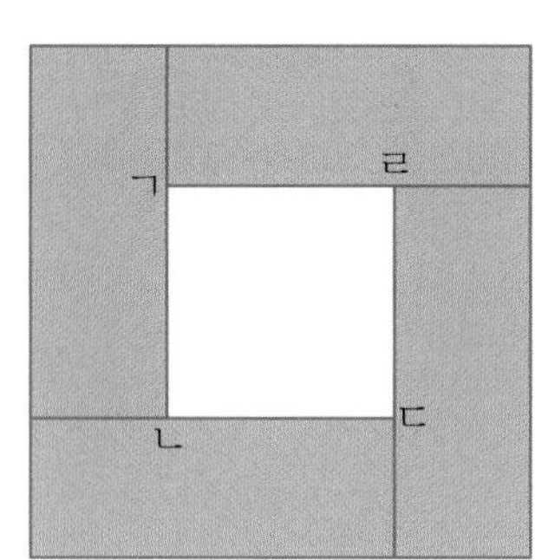

1 선분 ㄱㄴ은 몇 cm일까요?

( )

2 선분 ㄴㄷ은 몇 cm일까요?

( )

3 사각형 ㄱㄴㄷㄹ의 둘레는 몇 cm인지 구해 보세요.

( )

4

직선 ㄱㄴ을 대칭축으로 하는 선대칭도형과 점 ㅇ을 대칭의 중심으로 하는 점대칭도형을 각각 완성했을 때, 완성한 선대칭도형과 점대칭도형의 겹치는 부분의 넓이는 몇 cm^2 인지 구해 보세요.

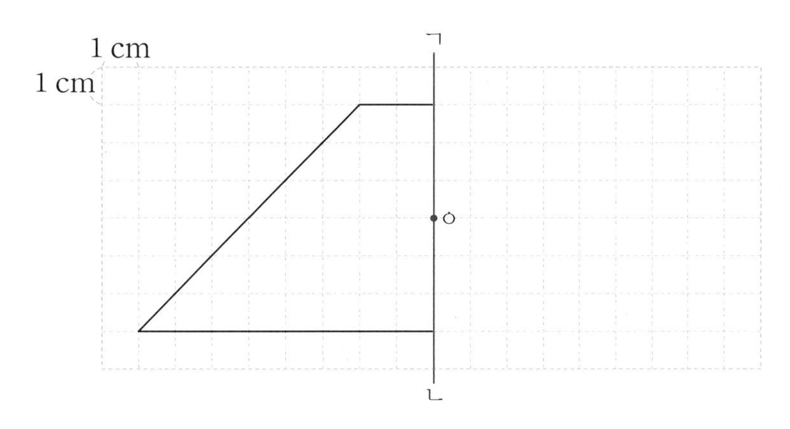

1 직선 ㄱㄴ을 대칭축으로 하는 선대칭도형을 완성해 보세요.

2 점 ㅇ을 대칭의 중심으로 하는 점대칭도형을 완성해 보세요.

3 완성한 선대칭도형과 점대칭도형이 겹치는 부분을 색칠해 보세요.

4 3에서 색칠한 부분의 넓이는 몇 cm^2인지 구해 보세요.

( )

3단계 교과 사고력 완성

평가 영역 ☑개념 이해력 □개념 응용력 □창의력 □문제 해결력

1 칠교판의 조각 중 서로 합동인 것을 모두 찾아 기호를 써 보세요.

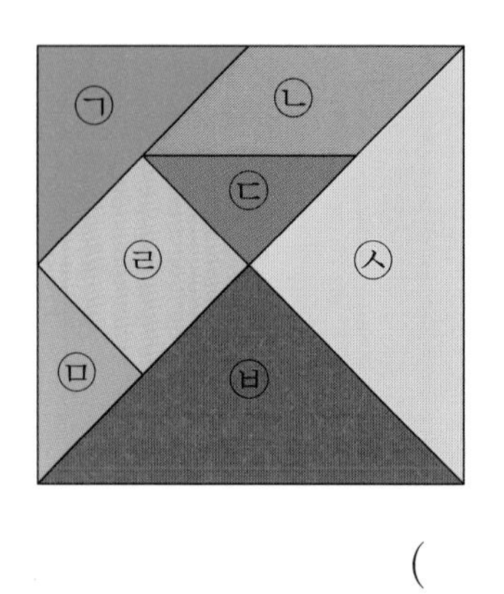

( )

평가 영역 □개념 이해력 □개념 응용력 ☑창의력 □문제 해결력

2 점대칭도형을 각각 완성하여 영어 단어를 만들어 보세요.

(1)

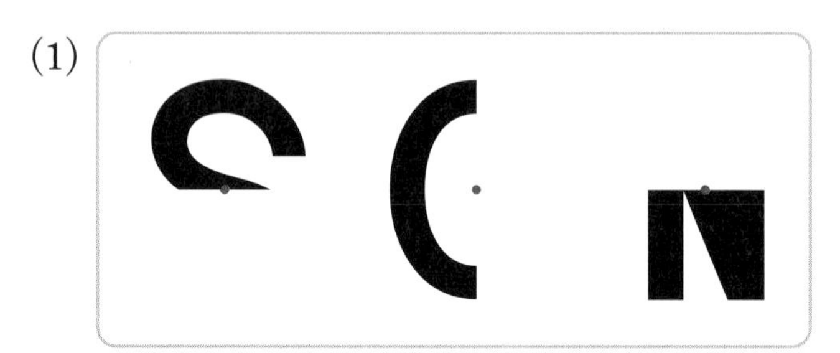

(2)

정답과 풀이 p.11

평가 영역 □개념 이해력 □개념 응용력 ☑창의력 □문제 해결력

3 정사각형 칸에 색칠하여 무늬를 꾸미려고 합니다. 무늬가 점대칭이 되도록 작은 정사각형 2칸을 더 색칠해 보세요. (단, 4개의 도형이 서로 다른 모양이어야 합니다.)

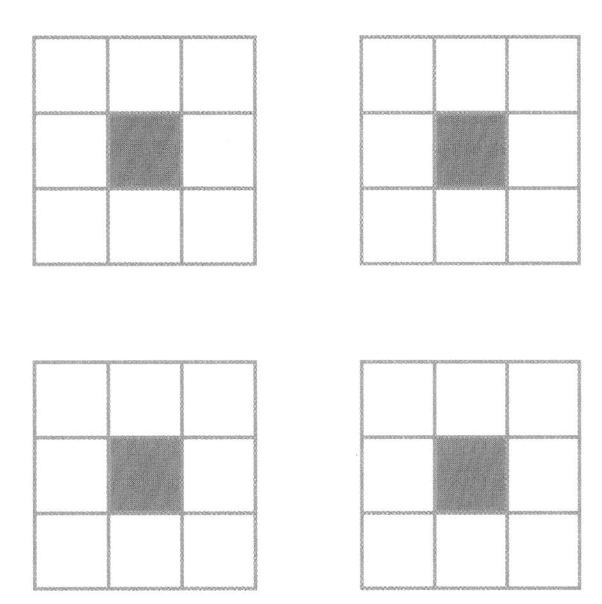

평가 영역 □개념 이해력 □개념 응용력 □창의력 ☑문제 해결력

4 직선 가를 대칭축으로 하는 선대칭도형을 그린 다음 만들어진 도형으로 다시 직선 나를 대칭축으로 하는 선대칭도형을 그려 보세요. 또, 완성된 도형의 둘레는 몇 cm인지 구해 보세요.

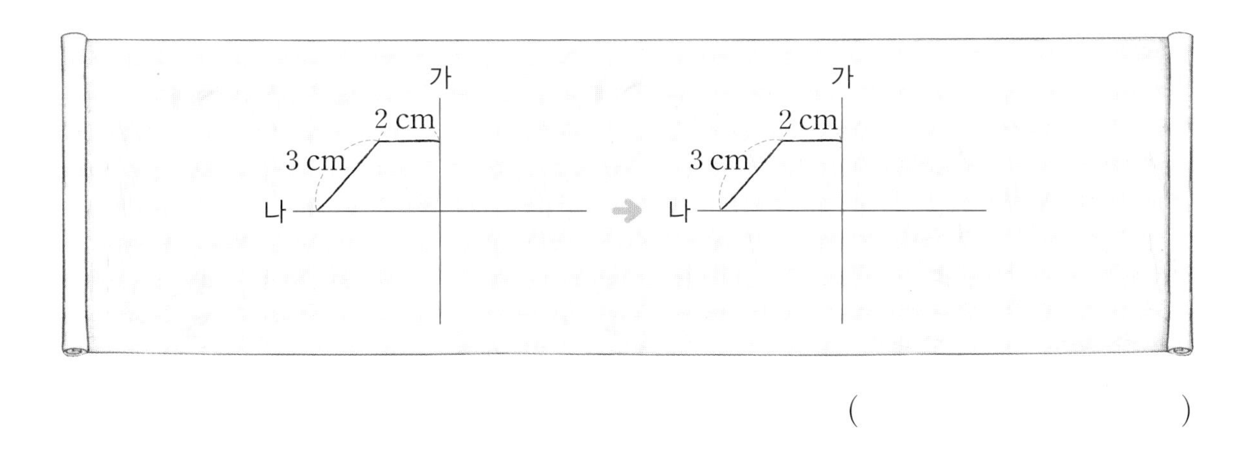

( )

2주 사고력

1 서로 합동인 두 도형을 찾아 기호를 써 보세요.

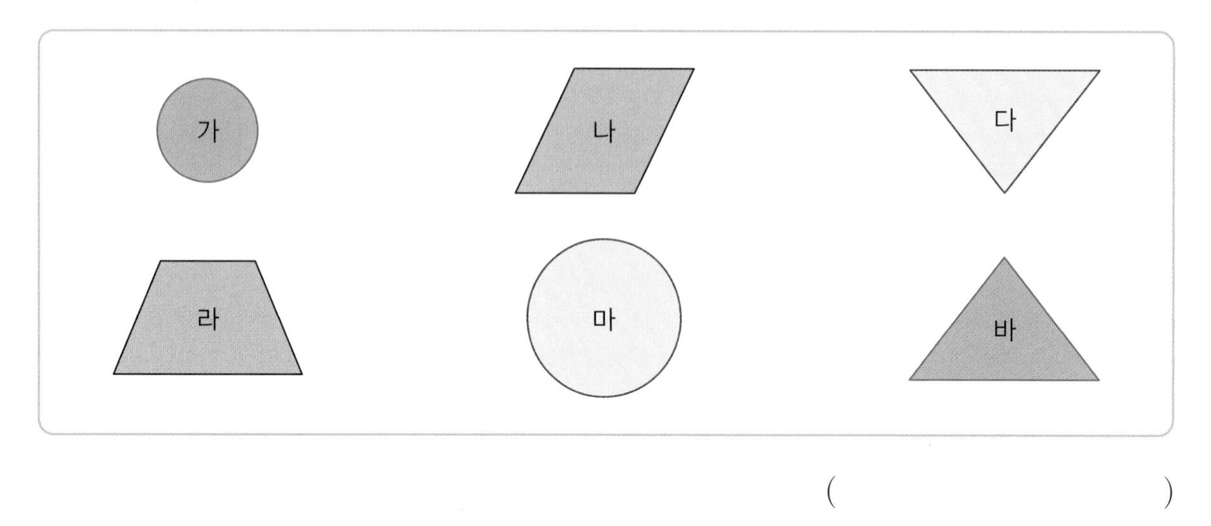

( )

2 선대칭도형의 대칭축을 잘못 그린 것을 찾아 기호를 써 보세요.

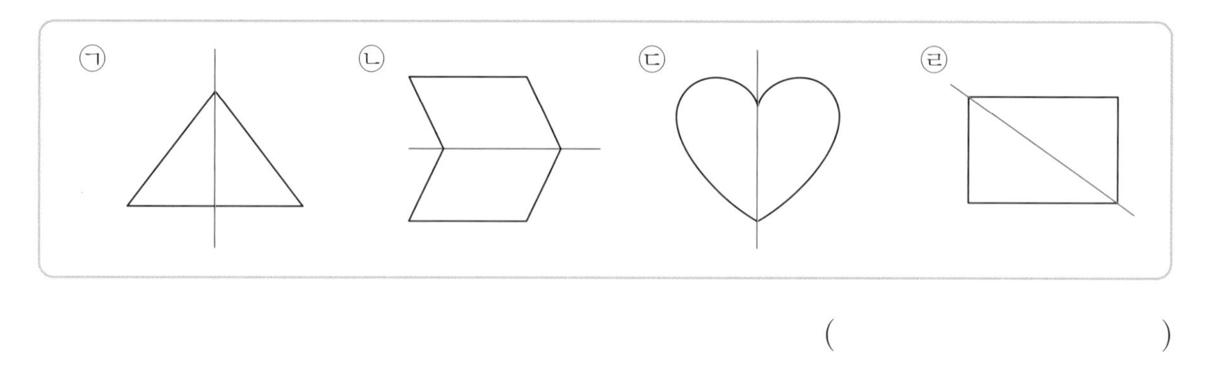

( )

3 두 도형은 서로 합동입니다. □ 안에 알맞은 수를 써넣으세요.

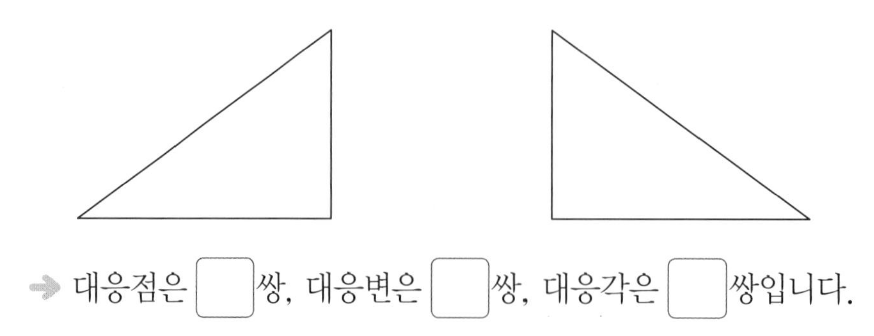

➔ 대응점은 □쌍, 대응변은 □쌍, 대응각은 □쌍입니다.

4 다음 도형은 선대칭도형입니다. 대칭축을 모두 그려 보세요.

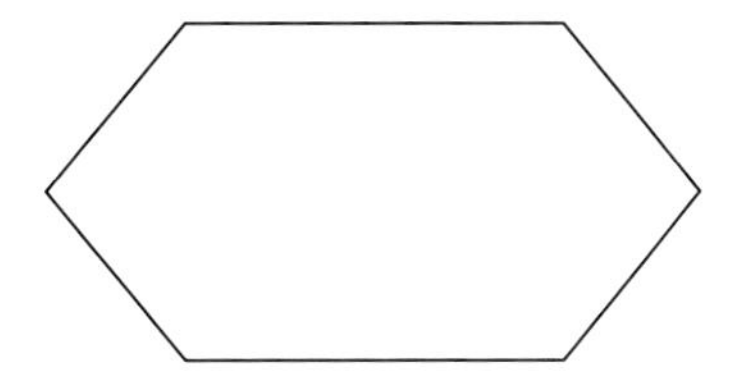

5 점대칭도형이 아닌 것을 찾아 기호를 써 보세요.

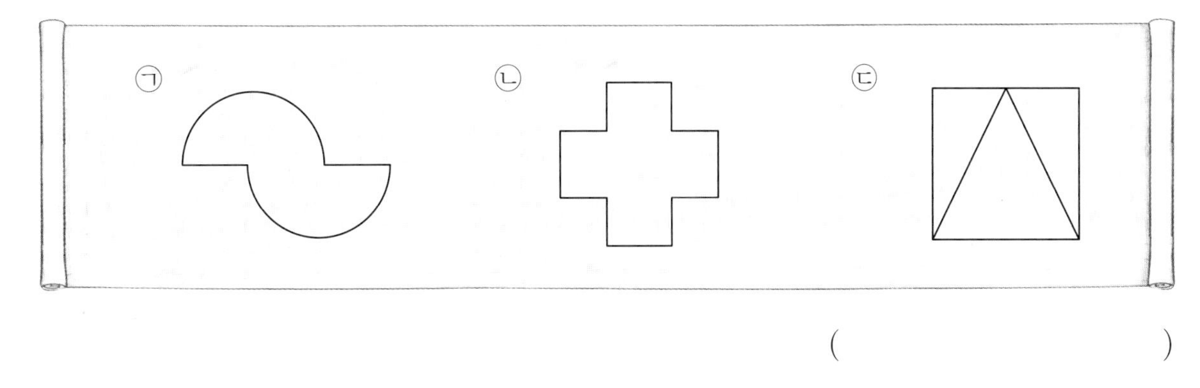

(　　　　　　　　　　)

6 점대칭도형에서 대칭의 중심을 찾아 점(•)으로 표시해 보세요.

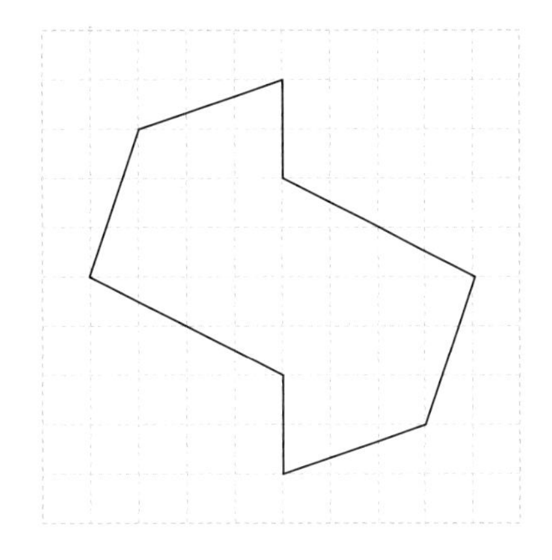

7 두 원은 합동이 아닙니다. 그 이유를 설명해 보세요.

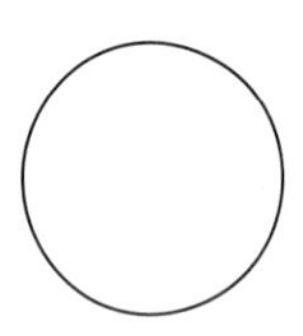

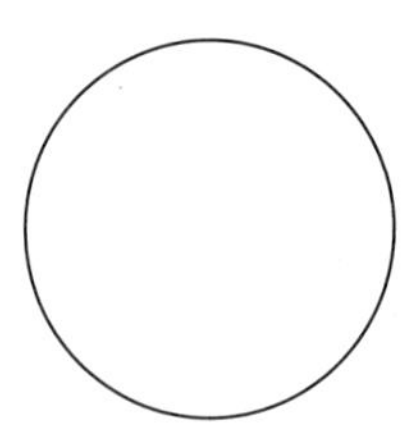

이유

8 선대칭도형과 점대칭도형을 각각 완성해 보세요.

(1)

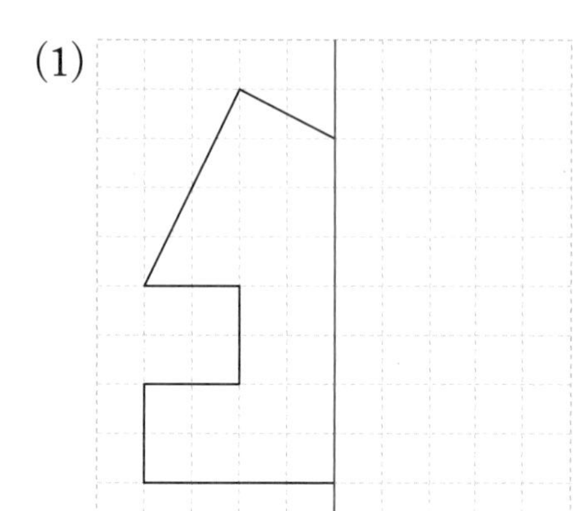

(2)

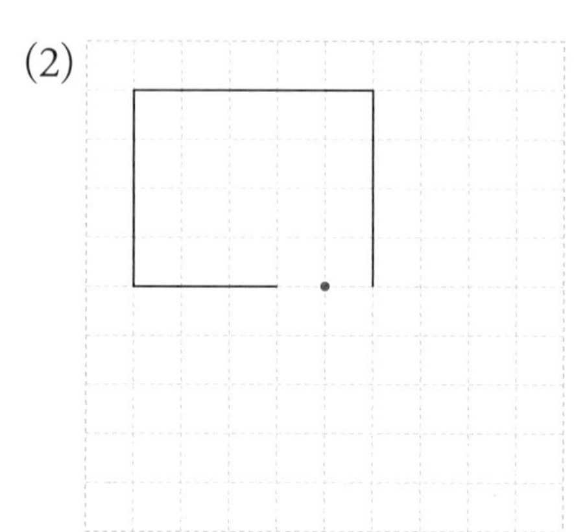

9 점 ㅇ을 대칭의 중심으로 하는 점대칭도형입니다. □ 안에 알맞은 수를 써넣으세요.

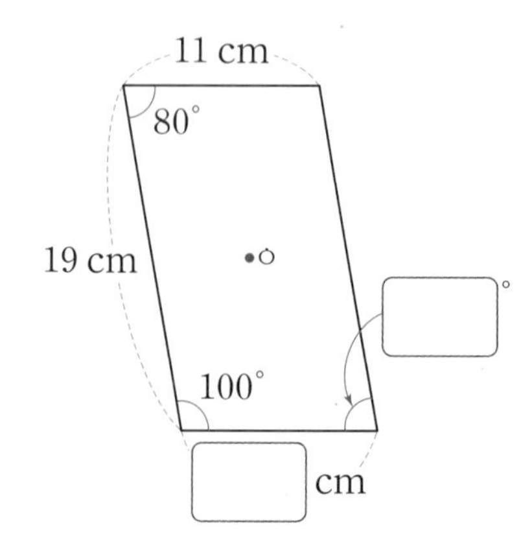

10 두 삼각형은 서로 합동입니다. 삼각형 ㄹㅁㅂ의 둘레는 몇 cm인지 구해 보세요.

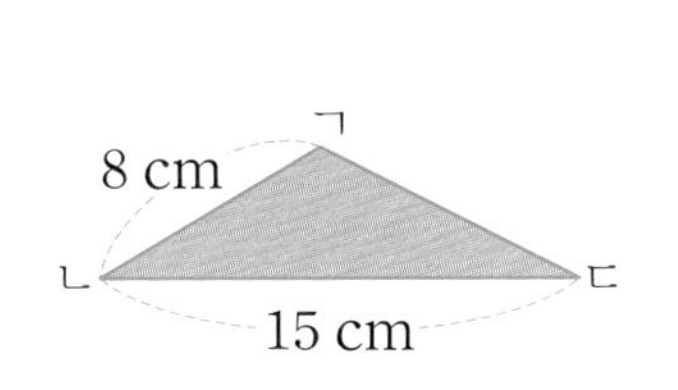

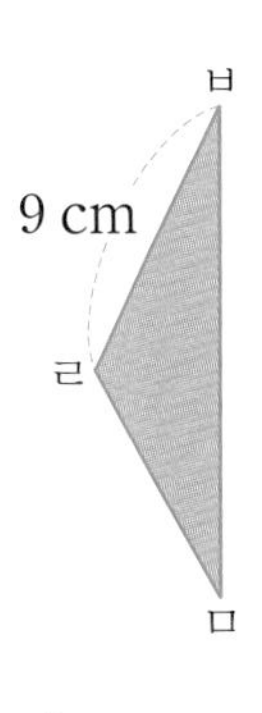

(　　　　　　　　)

11 선대칭도형도 되고 점대칭도형도 되는 자음자를 모두 찾아 써 보세요.

(　　　　　　　　)

12 직선 ㅁㅂ을 대칭축으로 하는 선대칭도형입니다. 각 ㄹㄴㄷ은 몇 도인지 구해 보세요.

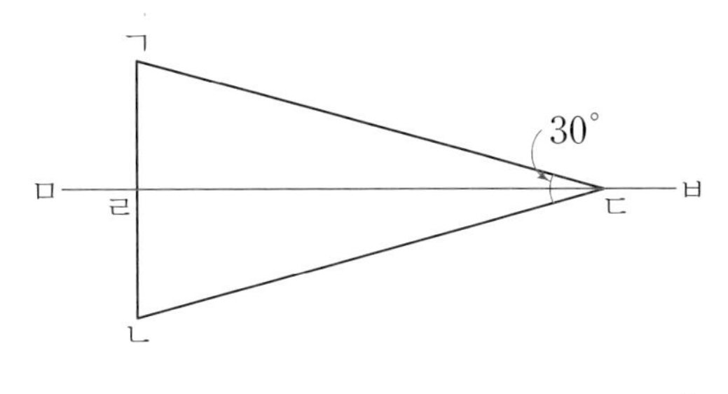

(　　　　　　　　)

2 주 평가

13

두 직사각형은 서로 합동입니다. 두 직사각형의 넓이의 합은 몇 cm^2인지 구해 보세요.

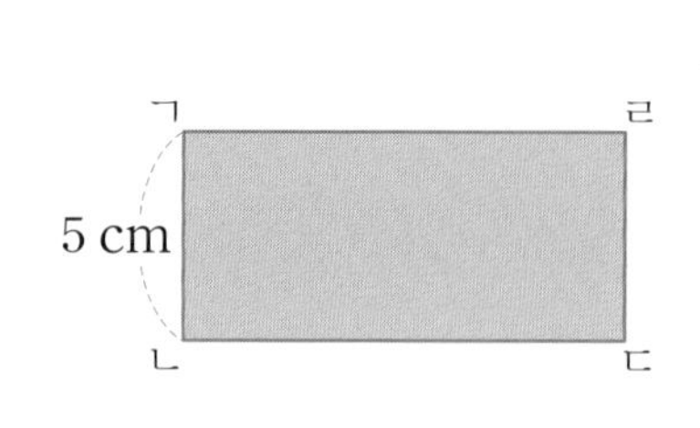

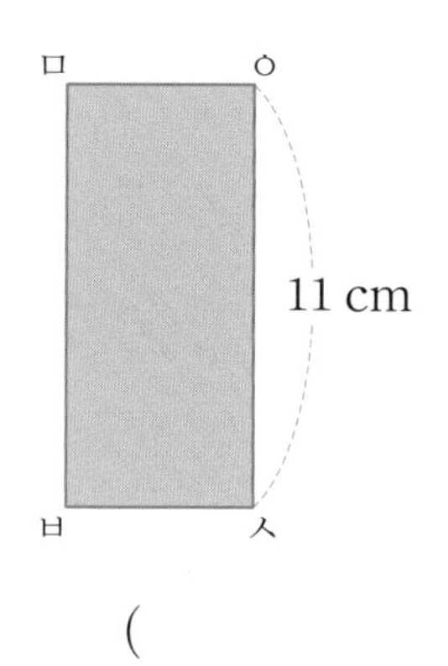

( )

14

점 ㅇ을 대칭의 중심으로 하는 점대칭도형입니다. 선분 ㄱㄹ은 몇 cm인지 구해 보세요.

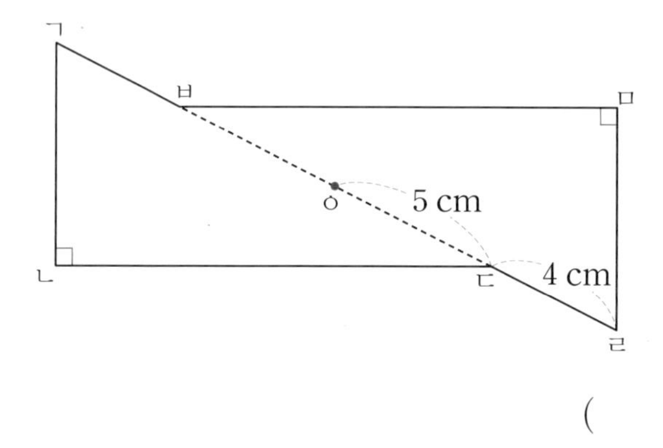

( )

15

직사각형 모양의 종이를 그림과 같이 접었습니다. 각 ㄷㄹㅂ은 몇 도인지 구해 보세요.

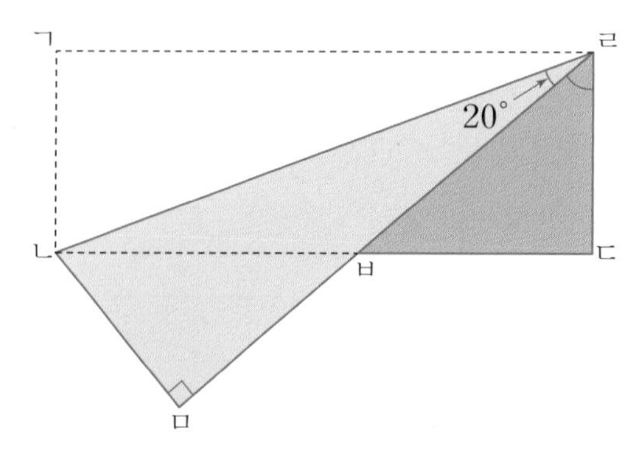

( )

정답과 풀이 p. 12

1 미술 시간에 색종이를 반으로 접은 다음 그림을 그리고 그림을 따라 잘라 내어 모양 만들기를 하고 있습니다. 물음에 답하세요.

(1) 알맞은 말에 ○표 하세요.

잘라 내어 펼친 모양은 모두 (선대칭도형 , 점대칭도형)입니다.

(2) 잘라 내어 펼친 모양이 바르지 않은 것을 찾아 기호를 써 보세요.

㉠ 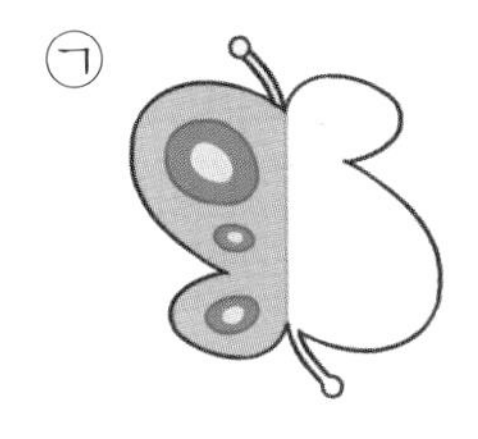

㉡ 

(　　　　　　　　)

(3) 잘라 내어 펼친 모양을 바르게 그려 보세요.

4 소수의 곱셈

소수의 덧셈과 곱셈

서희가 케이크를 만들기 위해 여러 가지 재료를 준비했습니다.
재료의 양을 알아볼 수 있는 방법에는 어떤 것이 있을까요?

- 필요한 밀가루의 양

  $0.02\times6=0.02+0.02+0.02+0.02+0.02+0.02=0.12$ (kg)
- 필요한 설탕의 양

  $0.05\times3=0.05+0.05+0.05=0.15$ (kg)
- 필요한 달걀의 양

  $0.6\times4=0.6+0.6+0.6+0.6=2.4$ (mL)

➔ 필요한 밀가루의 양은 $0.02\times6=0.12$ (kg)이고, 설탕의 양은 $0.05\times3=0.15$ (kg)이고, 달걀의 양은 $0.6\times4=2.4$ (mL)입니다.

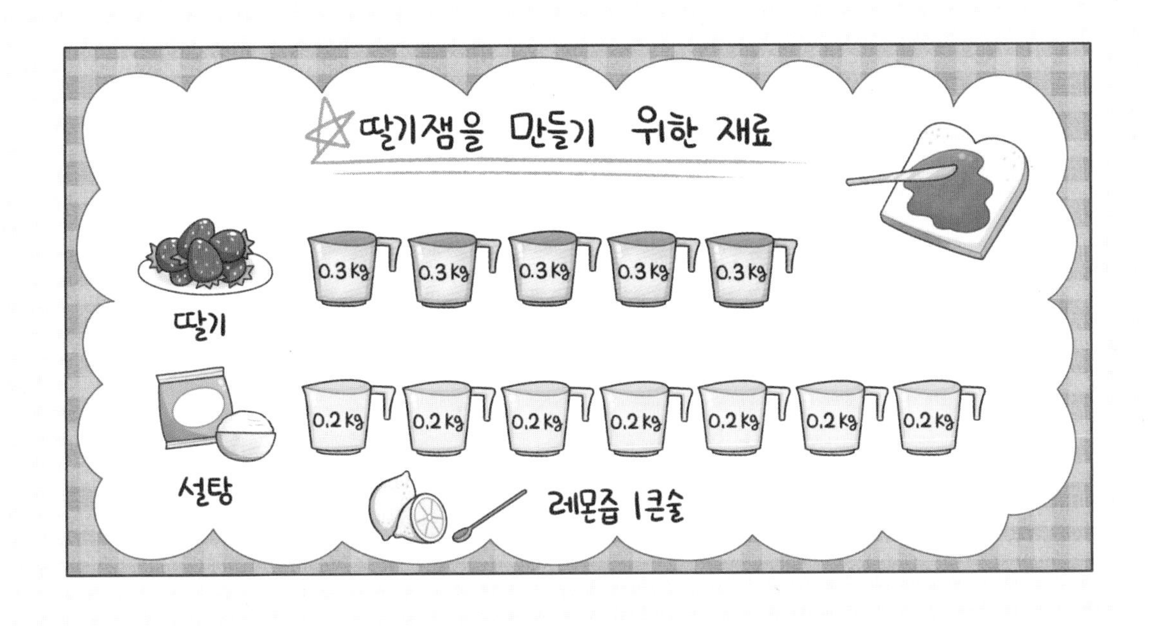

딸기잼을 만들기 위해 필요한 재료의 양을 구해 보세요.

$0.3\times5=0.3+\square+\square+\square+\square=\square$

$0.2\times7=0.2+\square+\square+\square+\square+\square+\square=\square$

➜ 필요한 딸기의 양은 $0.3\times5=\square$ (kg)이고,
설탕의 양은 $0.2\times7=\square$ (kg)입니다.

우유는 모두 몇 L인지 소수의 덧셈을 이용하여 계산해 보세요.

0.35 L 0.35 L 0.35 L

0.35×3 ______________________________

➜ 우유는 모두 $0.35\times3=\square$ (L)입니다.

개념 1 (1보다 작은 소수)×(자연수)

- 0.4×6을 여러 가지 방법으로 계산하기

방법 1 **덧셈식**으로 계산하기

0.4×6은 0.4를 6번 더한 것과 같으므로

$0.4\times6=0.4+0.4+0.4+0.4+0.4+0.4=2.4$입니다.

방법 2 **0.1의 개수**로 계산하기

0.1 0.1 0.1 0.1 0.1 0.1 0.1 0.1 0.1 0.1 0.1 0.1

0.1 0.1 0.1 0.1 0.1 0.1 0.1 0.1 0.1 0.1 0.1 0.1

$0.4\times6=0.1\times4\times6=0.1\times24=2.4$

0.1이 모두 24개이므로 $0.4\times6=2.4$입니다.

방법 3 **분수의 곱셈**으로 계산하기

$$0.4\times6=\frac{4}{10}\times6=\frac{4\times6}{10}=\frac{24}{10}=2.4$$

0.4를 $\frac{4}{10}$로 나타내어 계산합니다.

개념 2 (1보다 큰 소수)×(자연수)

- 1.2×3을 여러 가지 방법으로 계산하기

방법 1 **덧셈식**으로 계산하기

1.2×3은 1.2를 3번 더한 것과 같으므로

$1.2\times3=1.2+1.2+1.2=3.6$입니다.

방법 2 **0.1의 개수**로 계산하기

$1.2\times3=0.1\times12\times3=0.1\times36=3.6$

0.1이 모두 36개이므로 $1.2\times3=3.6$입니다.

방법 3 **분수의 곱셈**으로 계산하기

$$1.2\times3=\frac{12}{10}\times3=\frac{12\times3}{10}=\frac{36}{10}=3.6$$

1.2를 $\frac{12}{10}$로 나타내어 계산합니다.

자연수의 곱으로 계산한 다음 소수점을 찍어줄 수도 있어.
$12\times3=36$
→ $1.2\times3=3.6$

개념 확인 문제

1-1 분수의 곱셈으로 계산하려고 합니다. □ 안에 알맞은 수를 써넣으세요.

(1) $0.9\times7=\frac{\square}{10}\times7=\frac{\square\times\square}{10}=\frac{\square}{10}=\square$

└ 소수로 나타냅니다.

(2) $0.21\times3=\frac{\square}{100}\times3=\frac{\square\times\square}{100}=\frac{\square}{100}=\square$

3주 교과서

1-2 계산해 보세요.

(1) 0.6×4

(2) 0.8×6

(3) 0.13×2

(4) 0.54×7

2-1 1.3×5를 0.1의 개수로 계산하려고 합니다. □ 안에 알맞은 수를 써넣으세요.

1.3은 0.1이 □개입니다.

1.3×5는 0.1이 $\square\times5=\square$(개)입니다.

0.1이 모두 □개이므로 $1.3\times5=\square$입니다.

2-2 계산해 보세요.

(1) 1.4×3

(2) 2.7×4

(3) 3.89×5

(4) 1.46×6

1단계 교과서 개념 잡기

개념 3 (자연수)×(1보다 작은 소수)

- 2×0.6을 여러 가지 방법으로 계산하기

방법 1 그림으로 계산하기

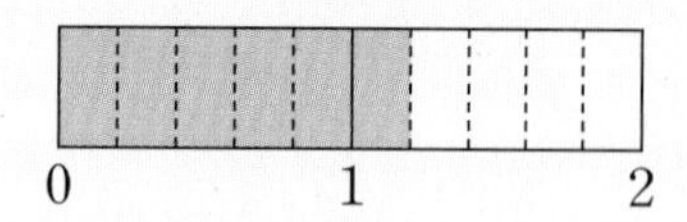

한 칸의 크기는 2의 0.1, 2의 $\frac{1}{10}$이고, 두 칸의 크기는 2의 0.2, 2의 $\frac{2}{10}$입니다.

여섯 칸의 크기는 2의 0.6, 2의 $\frac{6}{10}$이므로 $\frac{12}{10}$가 되어 1.2입니다.

방법 2 분수의 곱셈으로 계산하기

$$2\times0.6=2\times\frac{6}{10}=\frac{2\times6}{10}=\frac{12}{10}=1.2$$

방법 3 자연수의 곱셈으로 계산하기

$$2\times6=12$$
$\frac{1}{10}$배 ↓ $\frac{1}{10}$배
$$2\times0.6=1.2$$

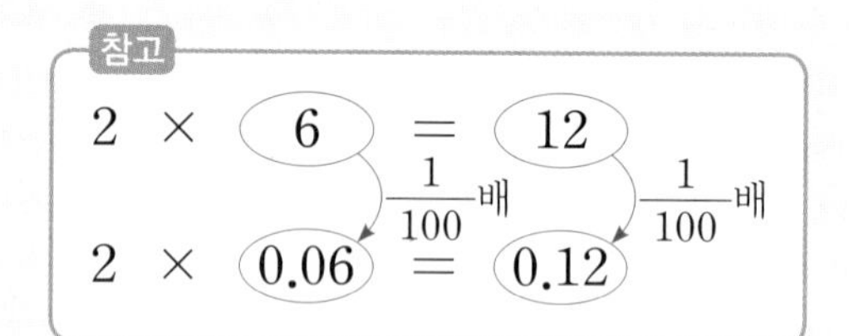

개념 4 (자연수)×(1보다 큰 소수)

- 3×1.2를 여러 가지 방법으로 계산하기

방법 1 그림으로 계산하기

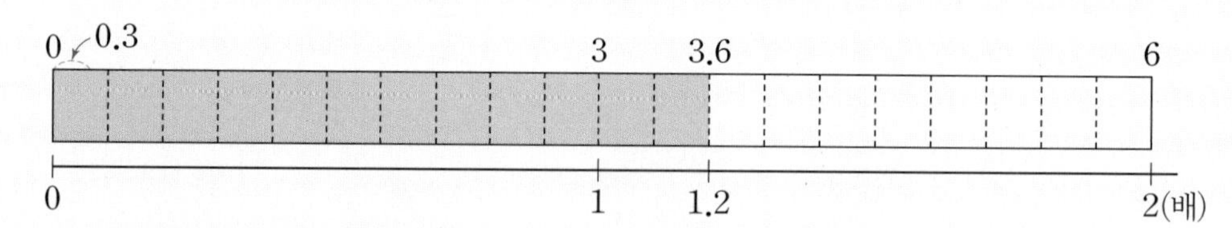

3의 1배는 3이고, 3의 0.2배는 0.6이므로 3의 1.2배는 3.6입니다.

방법 2 분수의 곱셈으로 계산하기

$$3\times1.2=3\times\frac{12}{10}=\frac{3\times12}{10}=\frac{36}{10}=3.6$$

방법 3 자연수의 곱셈으로 계산하기

$$3\times12=36$$
$\frac{1}{10}$배 ↓ $\frac{1}{10}$배
$$3\times1.2=3.6$$

곱하는 수가 1/10배이면
계산 결과가 1/10배야.

3-1 그림을 보고 □ 안에 알맞은 수를 써넣으세요.

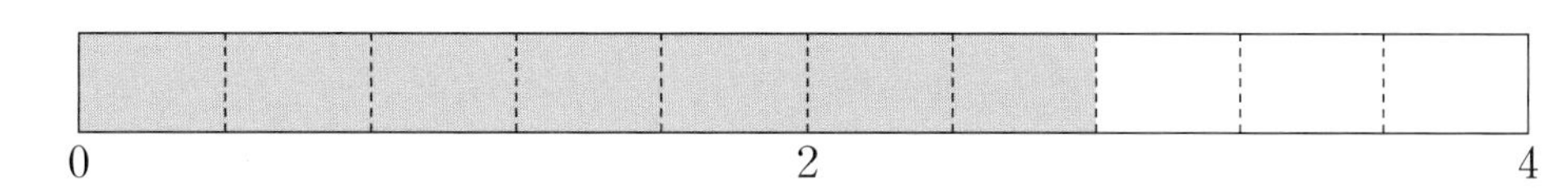

(1) 한 칸의 크기는 4의 0.1, 4의 $\frac{1}{10}$이고, 두 칸의 크기는 4의 0.2, 4의 $\frac{2}{10}$입니다.

일곱 칸의 크기는 4의 □, 4의 $\frac{□}{10}$이므로 $\frac{□}{10}$이/가 되어 □입니다.

(2) $4\times0.7=4\times\frac{□}{10}=\frac{□\times□}{10}=\frac{□}{10}=□$

3-2 자연수의 곱셈으로 계산하려고 합니다. □ 안에 알맞은 수를 써넣으세요.

(1) $6\times9=□$ → $\frac{1}{10}$배, □배 → $6\times0.9=□$

(2) $2\times34=□$ → $\frac{1}{100}$배, □배 → $2\times0.34=□$

4-1 자연수의 곱셈으로 계산하려고 합니다. □ 안에 알맞은 수를 써넣으세요.

(1) $3\times23=□$ → $3\times2.3=□$

(2) $6\times15=□$ → $6\times0.15=□$

4-2 계산해 보세요.

(1) 3×1.7

(2) 4×1.3

(3) 8×0.26

(4) 19×0.15

개념 5 1보다 작은 소수끼리의 곱셈

- 0.7×0.5를 여러 가지 방법으로 계산하기

방법 1 그림으로 계산하기

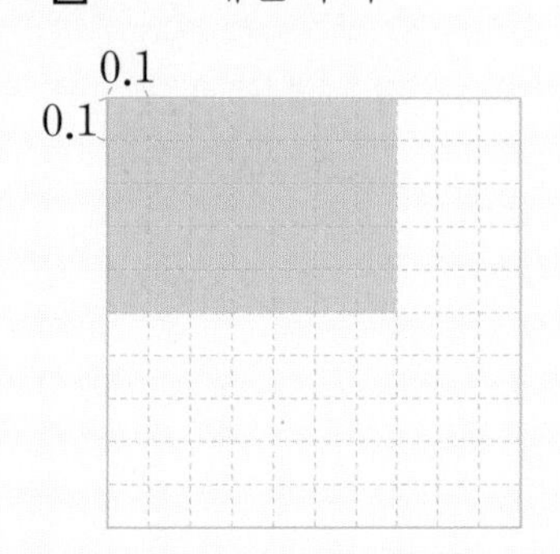

모눈종이의 가로를 0.7만큼, 세로를 0.5만큼 색칠하면 35칸이 색칠되는데 한 칸의 넓이가 0.01이므로 0.35입니다.

방법 2 분수의 곱셈으로 계산하기

$0.7\times0.5=\frac{7}{10}\times\frac{5}{10}=\frac{35}{100}=0.35$

방법 3 자연수의 곱셈으로 계산하기

$7\times5=35$

$\frac{1}{10}$배, $\frac{1}{10}$배, $\frac{1}{100}$배

$0.7\times0.5=0.35$

방법 4 소수의 크기를 생각하여 계산하기

$7\times5=35$인데 0.7에 0.5를 곱하면 0.7보다 작은 값이 나와야 하므로 계산 결과는 0.35입니다.

개념 6 1보다 큰 소수끼리의 곱셈

- 1.3×1.4를 여러 가지 방법으로 계산하기

방법 1 그림으로 계산하기

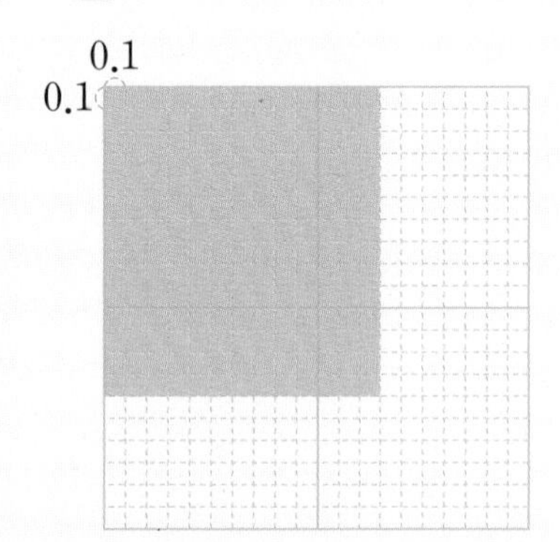

모눈종이의 가로를 1.3만큼, 세로를 1.4만큼 색칠하면 182칸이 색칠되는데 한 칸의 넓이가 0.01이므로 1.82입니다.

방법 2 분수의 곱셈으로 계산하기

$1.3\times1.4=\frac{13}{10}\times\frac{14}{10}=\frac{182}{100}=1.82$

방법 3 자연수의 곱셈으로 계산하기

$13\times14=182$

$\frac{1}{10}$배, $\frac{1}{10}$배, $\frac{1}{100}$배

$1.3\times1.4=1.82$

방법 4 소수의 크기를 생각하여 계산하기

$13\times14=182$인데 1.3에 1.4를 곱하면 1.3보다 큰 값이 나와야 하므로 계산 결과는 1.82입니다.

3주 교과서

5-1 0.3×0.7의 계산을 그림으로 알아보려고 합니다. □ 안에 알맞은 수를 써넣으세요.

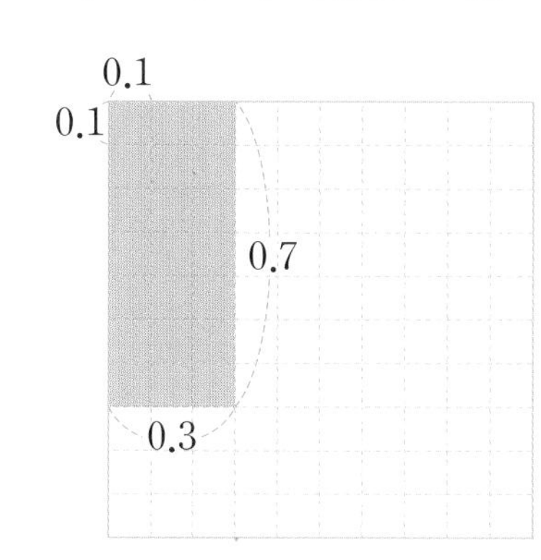

한 칸의 넓이가 0.01이고 색칠한 부분은 □칸이므로

색칠한 부분의 넓이는 □입니다.

➡ $0.3 \times 0.7 = \square$

5-2 분수의 곱셈으로 계산하려고 합니다. □ 안에 알맞은 수를 써넣으세요.

(1) $0.5 \times 0.9 = \dfrac{\square}{10} \times \dfrac{\square}{10} = \dfrac{\square}{100} = \square$

(2) $0.14 \times 0.6 = \dfrac{\square}{100} \times \dfrac{\square}{10} = \dfrac{\square}{1000} = \square$

6-1 자연수의 곱셈으로 계산하려고 합니다. □ 안에 알맞은 수를 써넣으세요.

(1) $13 \times 22 = \square$

$\frac{1}{10}$배, $\frac{1}{10}$배, $\frac{1}{100}$배

$1.3 \times 2.2 = \square$

(2) $35 \times 17 = \square$

$\frac{1}{10}$배, $\frac{1}{10}$배, $\frac{1}{100}$배

$3.5 \times 1.7 = \square$

6-2 계산해 보세요.

(1) 6.4×1.3

(2) 2.3×3.6

(3) 4.7×2.81

(4) 1.9×3.45

개념 7 곱의 소수점 위치

- 소수와 10, 100, 1000의 곱셈에서 곱의 소수점 위치

곱하는 수의 0이 하나씩 늘어날 때마다 곱의 소수점을 오른쪽으로 한 자리씩 옮깁니다.

$7.53 \times 1 = 7.53$ ➔

$7.53 \times 10 = 75.3$ (0이 1개, 오른쪽으로 한 자리)

$7.53 \times 100 = 753$ (0이 2개, 오른쪽으로 두 자리)

$7.53 \times 1000 = 7530$ (0이 3개, 오른쪽으로 세 자리)

- 자연수와 0.1, 0.01, 0.001의 곱셈에서 곱의 소수점 위치

곱하는 소수의 소수점 아래 자리 수가 하나씩 늘어날 때마다 곱의 소수점을 왼쪽으로 한 자리씩 옮깁니다.

$753 \times 1 = 753$ ➔

$753 \times 0.1 = 75.3$ (소수 한 자리, 왼쪽으로 한 자리)

$753 \times 0.01 = 7.53$ (소수 두 자리, 왼쪽으로 두 자리)

$753 \times 0.001 = 0.753$ (소수 세 자리, 왼쪽으로 세 자리)

- 소수끼리의 곱셈에서 곱의 소수점 위치

자연수끼리 계산한 결과에 곱하는 두 수의 소수점 아래 자리 수를 더한 값만큼 소수점을 왼쪽으로 옮깁니다.

$3 \times 5 = 15$ ➔

$0.3 \times 0.5 = 0.15$ (소수 한 자리, 소수 한 자리 → 왼쪽으로 두 자리)

$0.3 \times 0.05 = 0.015$ (소수 한 자리, 소수 두 자리 → 왼쪽으로 세 자리)

7-1 소수점의 위치를 생각하여 계산해 보세요.

(1) 2.175×10
2.175×100
2.175×1000

(2) 389×0.1
389×0.01
389×0.001

7-2 보기 를 이용하여 계산해 보세요.

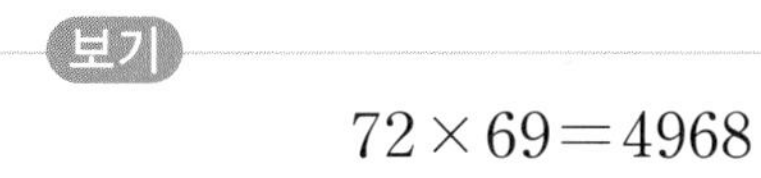

(1) 7.2×0.69

(2) 720×6.9

7-3 빈 곳에 알맞은 수를 써넣으세요.

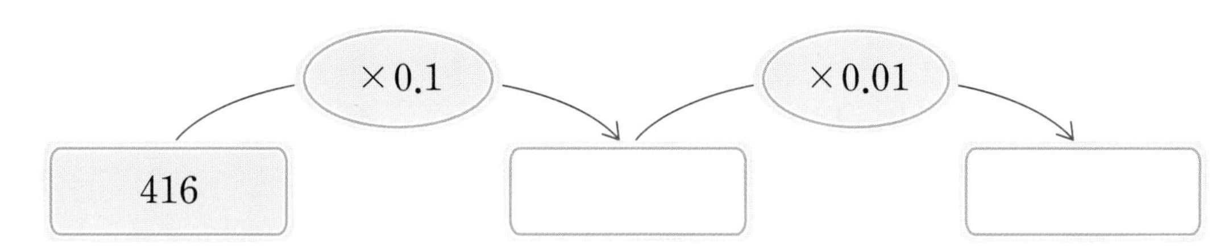

7-4 계산 결과가 같은 것끼리 이어 보세요.

5.3×1.8	•	•	5.3×0.18
0.53×1.8	•	•	53×0.18

PLAY 교과서 개념 스토리

학급 게시판

준비물 붙임딱지

학급 게시판 포토존에 학생들의 사진을 붙이려고 합니다.
곱셈의 계산 결과에 알맞게 붙임딱지를 붙여 보세요.

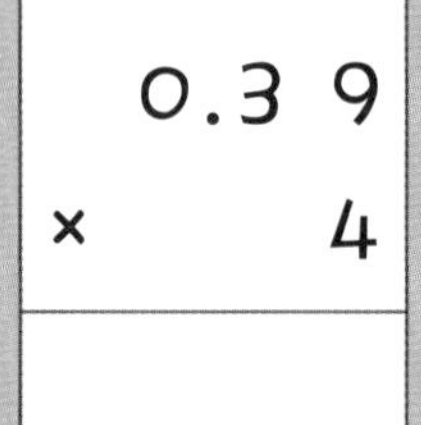

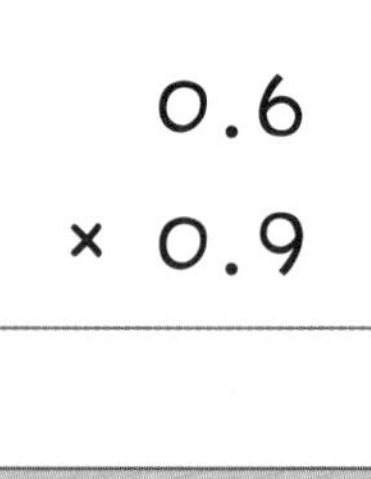

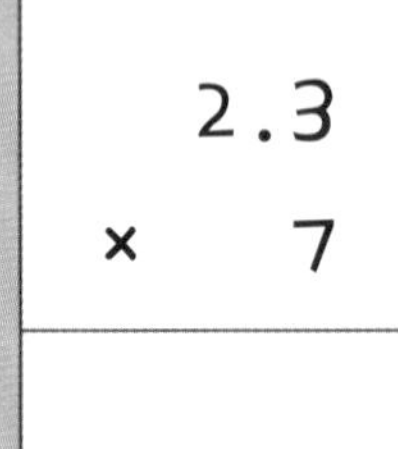

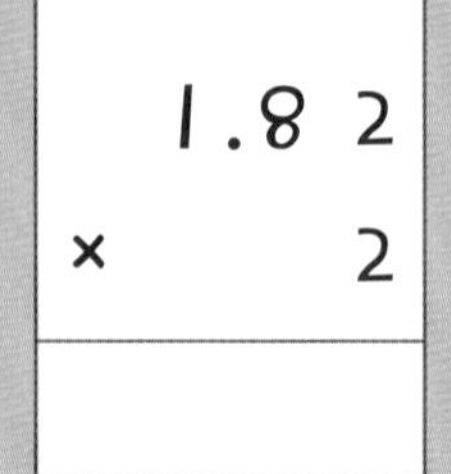

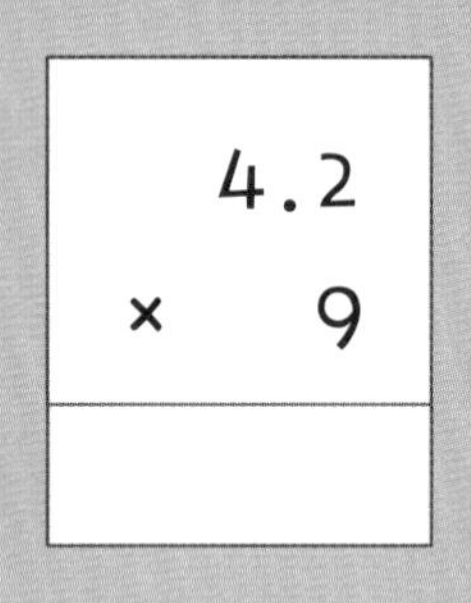

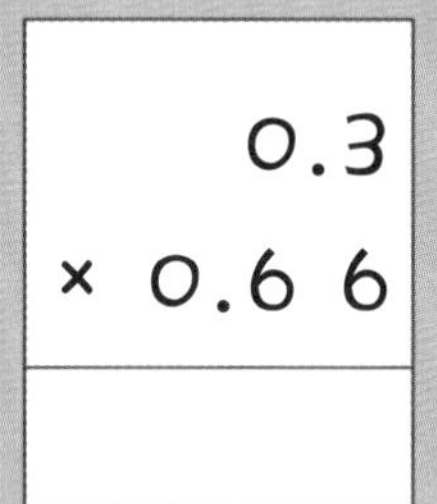

포토존

3주 교과서

4.9×2.5

0.92×0.8

5.6×2.7

6.9×0.4

1.2×11

9.2×4

0.75×0.5

2.7×8.4

PLAY 교과서 개념 스토리

달걀 부화하기

준비물 붙임딱지

닭이 낳은 달걀에서 부화한 병아리는 어느 병아리인지 곱셈 결과를 찾아 알맞은 붙임딱지를 붙여 보세요.

2845
×0.001
×0.01
×0.1
9.163
×10
×100
×1000
0.54
×100
×0.1
×10
77
×0.01
×0.1
×0.001
3
주
교과서

단계

2 교과서 개념 다지기

개념 1 (1보다 작은 소수)×(자연수)

01 그림을 보고 □ 안에 알맞은 수를 써넣으세요.

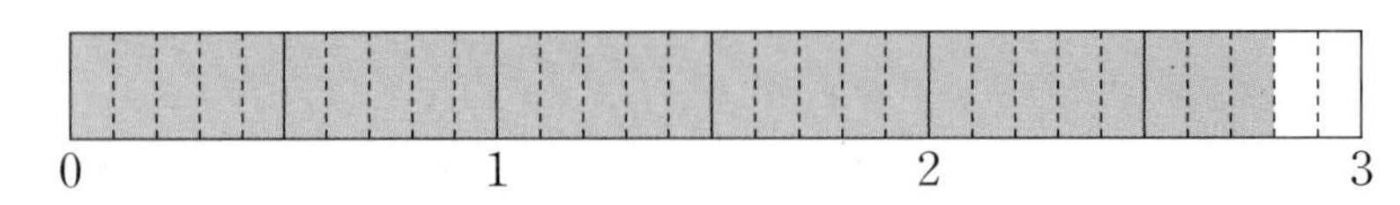

덧셈식 $0.4+0.4+0.4+0.4+0.4+0.4+0.4=\square$

곱셈식 $0.4\times\square=\square$

02 0.3×6을 0.1의 개수로 계산하려고 합니다. □ 안에 알맞은 수를 써넣으세요.

0.3은 0.1이 □개입니다.
0.3×6은 0.1이 $3\times\square=\square$(개)입니다.
0.1이 모두 □개이므로 $0.3\times6=\square$입니다.

03 보기 와 같은 방법으로 계산해 보세요.

보기
$$0.9\times5=\frac{9}{10}\times5=\frac{9\times5}{10}=\frac{45}{10}=4.5$$

(1) 0.8×7

(2) 0.27×3

개념 2 (1보다 큰 소수)×(자연수)

04 어림하여 계산 결과가 8보다 작은 것을 찾아 기호를 써 보세요.

㉠ 1.4×5　　㉡ 4.1×2　　㉢ 2.3×4

(　　　　　　)

05 계산해 보세요.

(1) 3.4×3　　(2) 4.7×6

(3) 2.43×5　　(4) 5.91×2

06 빈칸에 알맞은 수를 써넣으세요.

(1)

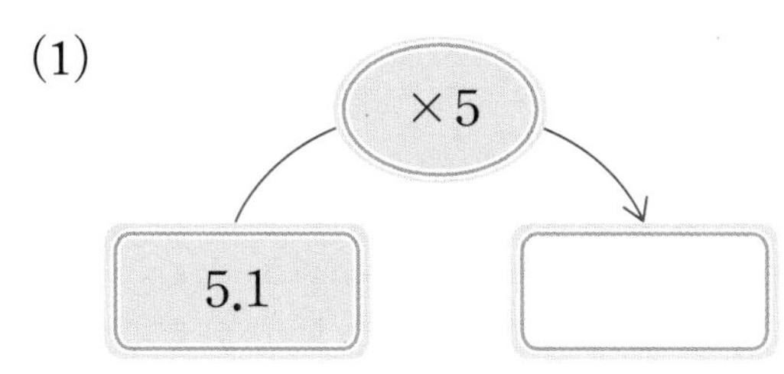

(2)

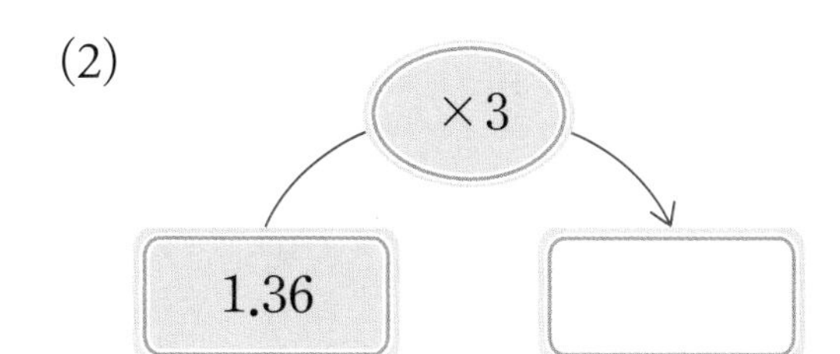

07 두 수의 곱을 구해 보세요.

6.2	7

(　　　　　　)

개념 3 (자연수)×(1보다 작은 소수)

08 계산해 보세요.

(1) 12×0.8

(2) 9×0.7

(3) 5×0.13

(4) 8×0.64

09 빈칸에 알맞은 수를 써넣으세요.

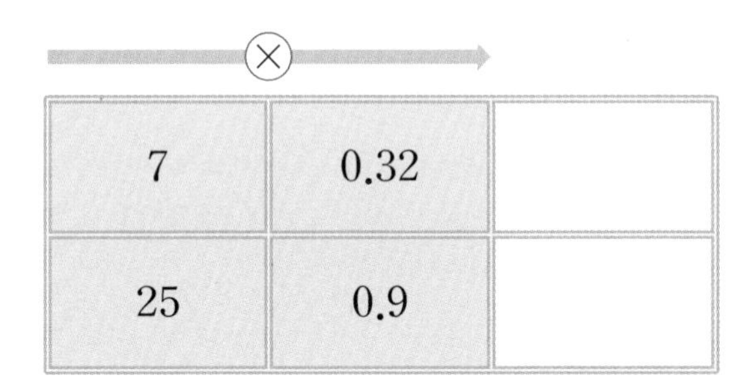

7	0.32	
25	0.9	

10 곱이 1보다 작은 것의 기호를 써 보세요.

㉠ 25×0.07　　㉡ 14×0.06

(　　　　　　)

11 가장 큰 수와 가장 작은 수의 곱을 구해 보세요.

0.6　　8　　0.45　　11

(　　　　　　)

개념 4 (자연수)×(1보다 큰 소수)

12 계산해 보세요.

(1) 3×1.2

(2) 9×3.6

(3) 2×4.19

(4) 8×2.07

13 다음 식에서 잘못 계산한 곳을 찾아 바르게 계산해 보세요.

$$34\times1.6=34\times\frac{16}{10}=\frac{16}{34\times10}=\frac{16}{340}=\frac{4}{85}$$

34×1.6 ____________________

14 ㉠과 ㉡의 합을 구해 보세요.

㉠ 27×3.2 ㉡ 8×1.5

( )

15 계산 결과를 비교하여 ◯ 안에 >, =, <를 알맞게 써넣으세요.

7×3.46 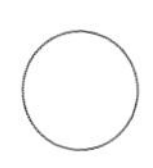 8×3.1

개념 5 (소수) × (소수)

16 계산해 보세요.

(1) 0.2×0.9

(2) 0.61×0.5

(3) 1.4×2.3

(4) 1.25×3.8

17 빈칸에 알맞은 수를 써넣으세요.

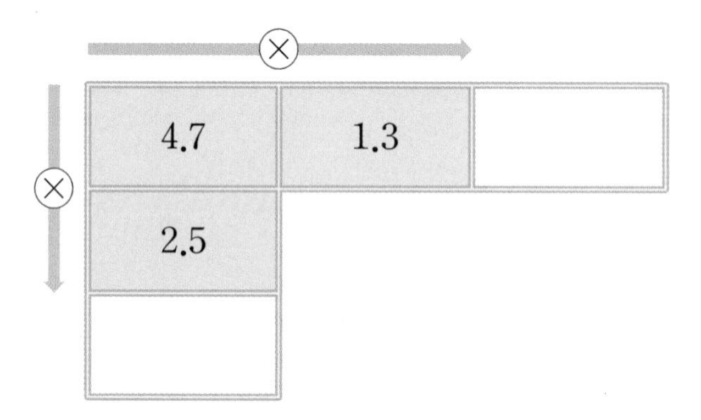

18 가장 큰 수와 가장 작은 수의 곱을 구해 보세요.

0.8 0.5 0.03 0.72

( )

19 계산 결과를 찾아 선으로 이어 보세요.

1.8×2.6 •	• 2.85
0.37×0.9 •	• 0.333
1.5×1.9 •	• 4.68

개념 6 곱의 소수점 위치

20 □ 안에 알맞은 수를 써넣으세요.

(1) $5.98\times1=$ □

$5.98\times10=$ □

$5.98\times100=$ □

$5.98\times1000=$ □

(2) $414\times1=$ □

$414\times0.1=$ □

$414\times0.01=$ □

$414\times0.001=$ □

21 보기 를 이용하여 계산해 보세요.

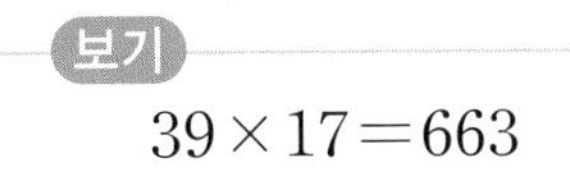
보기
$39\times17=663$

(1) 3.9×1.7

(2) 0.39×0.17

22 □ 안에 알맞은 수를 써넣으세요.

(1) $856\times$ □ $=8.56$

(2) $6270\times$ □ $=627$

23 계산 결과가 다른 하나를 찾아 기호를 써 보세요.

㉠ 3.15×4.9

㉡ 31.5×0.49

㉢ 3.15×0.49

(　　　　　　)

3 단계 교과서 실력 다지기

계산 결과 비교하기

1 계산 결과가 가장 큰 것을 찾아 기호를 써 보세요.

㉠ 2.54×6 ㉡ 3.8×4.7 ㉢ 5×3.1

답 ______________

개념 피드백 소수의 곱셈을 할 때에는 자연수의 곱셈으로 계산한 다음 알맞은 위치에 소수점을 찍습니다.

1-1 계산 결과가 가장 큰 것을 찾아 기호를 써 보세요.

㉠ 4×0.7 ㉡ 1.32×5 ㉢ 2.6×2.3

( )

1-2 계산 결과가 가장 큰 것을 찾아 기호를 써 보세요.

㉠ 4×0.13 ㉡ 0.7×0.6 ㉢ 0.08×9

( )

1-3 계산 결과가 작은 것부터 차례로 기호를 써 보세요.

㉠ 1.9×3 ㉡ 2.52×8
㉢ 0.46×25 ㉣ 7.3×0.4

( )

★ 도형의 넓이 구하기

2 가로가 0.61 m, 세로가 0.5 m인 직사각형이 있습니다. 이 직사각형의 넓이는 몇 m^2인지 구해 보세요.

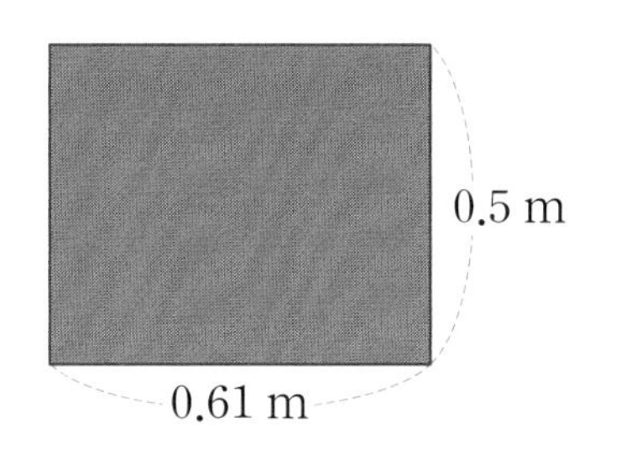

답 ____________________

개념 피드백
• (직사각형의 넓이)=(가로)×(세로)

2-1 정호네 텃밭은 한 변의 길이가 3.4 m인 정사각형 모양입니다. 정호네 텃밭의 넓이는 몇 m^2인지 구해 보세요.

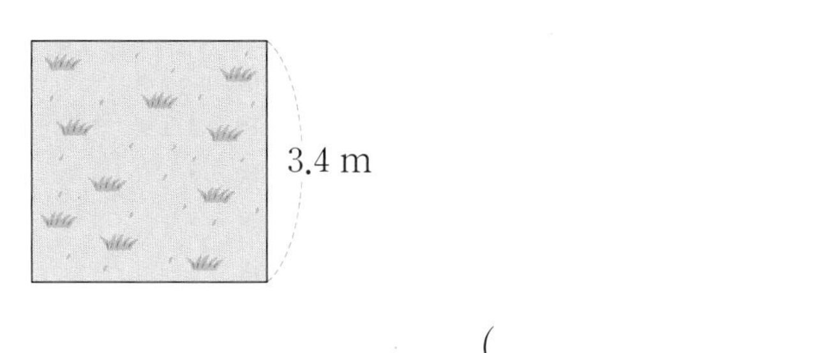

(　　　　　　　　)

2-2 평행사변형 모양의 꽃밭이 있습니다. 꽃밭의 넓이는 몇 m^2인지 구해 보세요.

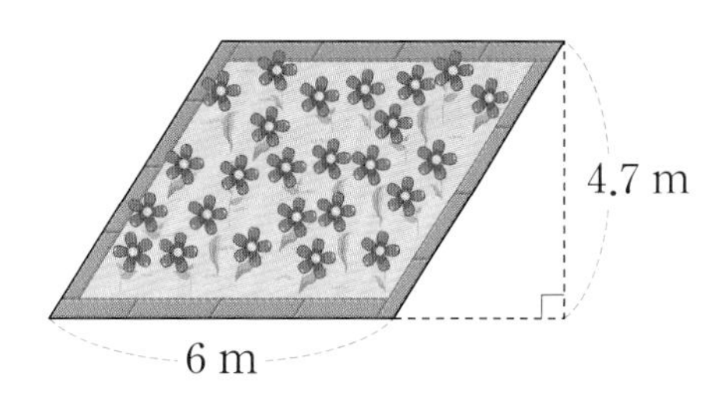

(　　　　　　　　)

★ 곱의 소수점 위치

3 은행에서 미국 돈 1달러를 우리나라 돈 1126.5원으로 바꿔 줍니다. 100달러짜리, 10달러짜리 지폐가 각각 1장씩 있을 때, 이 돈을 우리나라 돈으로 바꾸면 모두 얼마인지 구해 보세요.

=1126.5원

답 ______________________

개념 피드백 곱하는 수의 0이 하나씩 늘어날 때마다 곱의 소수점을 오른쪽으로 한 자리씩 옮깁니다.

예 $4.195\times1=4.195$ → $4.195\times10=41.95$ → $4.195\times100=419.5$……

3-1 은행에서 홍콩 돈 1달러를 우리나라 돈 157.99원으로 바꿔 줍니다. 100달러짜리, 10달러짜리 지폐가 각각 1장씩 있을 때, 이 돈을 우리나라 돈으로 바꾸면 모두 얼마인지 구해 보세요.

(　　　　　　　　　　)

3-2 은행에서 일본 돈 1엔을 우리나라 돈 11.44원으로 바꿔 줍니다. 1000엔짜리 지폐 1장과 100엔, 10엔짜리 동전이 각각 1개씩 있을 때, 이 돈을 우리나라 돈으로 바꾸면 모두 얼마인지 구해 보세요.

(　　　　　　　　　　)

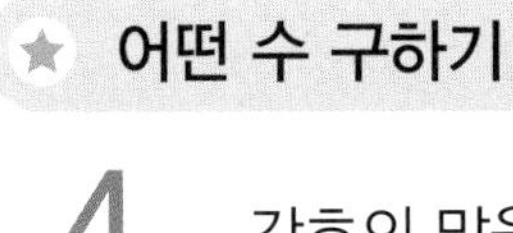

어떤 수 구하기

4 강호의 말을 읽고 어떤 소수를 구해 보세요.

강호

2.35에 어떤 소수를 곱했더니 0.235가 되었어요.

답 ____________________

개념 피드백

- 곱하는 수의 0이 하나씩 늘어날 때마다 곱의 소수점을 오른쪽으로 한 자리씩 옮깁니다.
- 곱하는 소수의 소수점 아래 자리 수가 하나씩 늘어날 때마다 곱의 소수점을 왼쪽으로 한 자리씩 옮깁니다.

4-1 예지의 말을 읽고 어떤 소수를 구해 보세요.

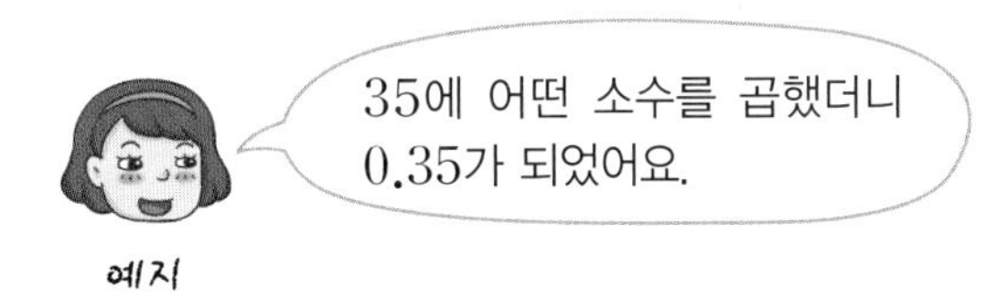
35에 어떤 소수를 곱했더니
0.35가 되었어요.
예지

(　　　　　　　　　　)

4-2 64.8에 어떤 수를 곱했더니 648이 되었습니다. 어떤 수를 구해 보세요.

(　　　　　　　　　　)

4-3 어떤 수에 10을 곱해야 할 것을 잘못하여 100을 곱했더니 174.9가 되었습니다. 바르게 계산한 값을 구해 보세요.

(　　　　　　　　　　)

3주 교과서

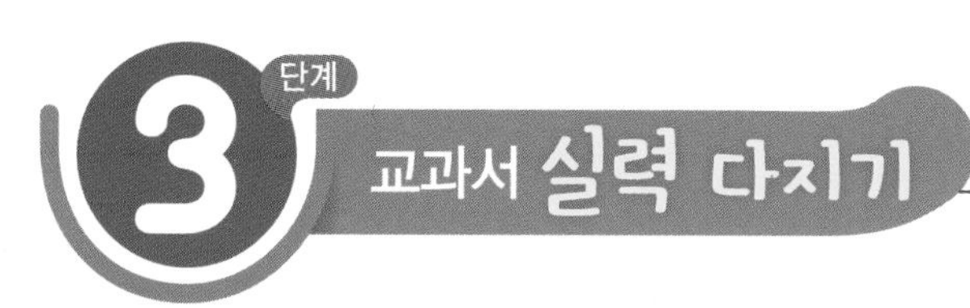

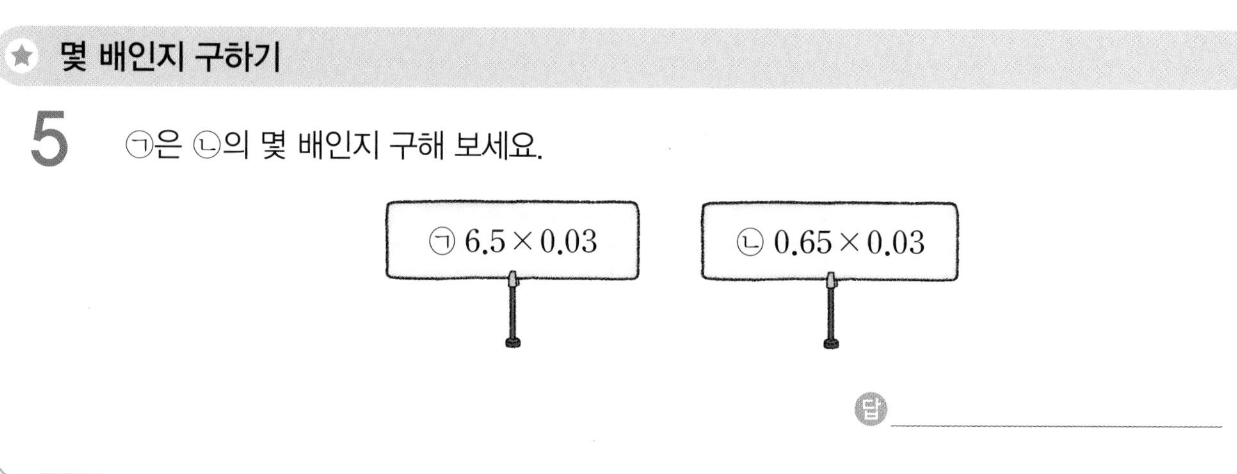

★ 몇 배인지 구하기

5 ㉠은 ㉡의 몇 배인지 구해 보세요.

㉠ 6.5×0.03

㉡ 0.65×0.03

답 ______________________

개념 피드백

• 소수를 10배, 100배, 1000배…… 하면 소수점이 오른쪽으로 한 자리, 두 자리, 세 자리…… 옮겨집니다.

5-1 ㉠은 ㉡의 몇 배인지 구해 보세요.

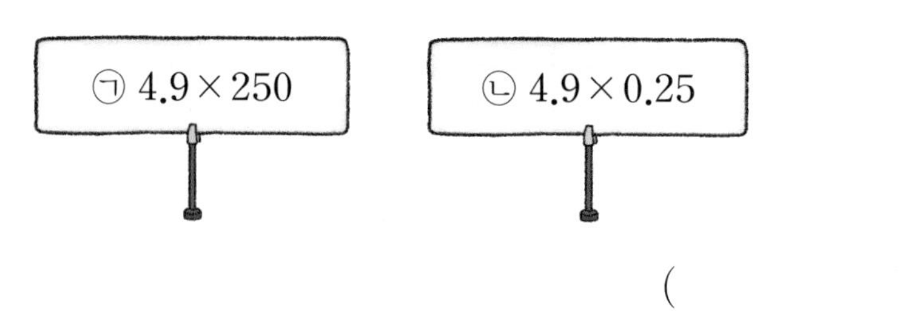

(   )

5-2 ㉠은 ㉡의 몇 배인지 구해 보세요.

$3.74 \times ㉠ = 33.66$

$3.74 \times ㉡ = 0.3366$

(   )

★ □ 안에 들어갈 수 있는 자연수 구하기

6 □ 안에 들어갈 수 있는 가장 작은 자연수를 구해 보세요.

$$1.87 \times 5.5 < \square$$

답 ______________

개념 피드백
- 소수끼리의 곱셈은 자연수끼리 계산 결과에 곱하는 두 수의 소수점 아래 자리 수를 더한 값만큼 소수점을 왼쪽으로 옮깁니다.

6-1 □ 안에 들어갈 수 있는 가장 큰 자연수를 구해 보세요.

$$2.8 \times 7.6 > \square$$

(　　　　　　　　)

6-2 □ 안에 들어갈 수 있는 자연수를 모두 구해 보세요.

$$7 \times 0.35 < \square < 2.4 \times 2.9$$

(　　　　　　　　)

교과서 서술형 연습

서술형 연습 **1**

선물 상자 1개를 포장하는 데 리본이 0.32 m 필요합니다. 5 m의 리본으로 선물 상자 6개를 포장하고 남은 리본은 몇 m인지 구해 보세요.

구하려는 것, 주어진 것에 선을 그어 봅니다.

해결하기 선물 상자 6개를 포장하는 데 필요한 리본은

0.32 × ☐ = ☐ (m)입니다.

따라서 포장하고 남은 리본은 5 − ☐ = ☐ (m)입니다.

답 구하기 ☐

서술형 실전 **2**

학생 한 명에게 주스를 0.54 L씩 나누어 주려고 합니다. 6 L의 주스를 학생 7명에게 나누어 주고 남은 주스는 몇 L인지 구해 보세요.

구하려는 것, 주어진 것에 선을 그어 봅니다.

해결하기

답 구하기

한 시간에 69.7 km를 달리는 버스가 있습니다. 이 버스가 같은 빠르기로 15분 동안 달린다면 몇 km를 갈 수 있는지 구해 보세요.

구하려는 것, 주어진 것에 선을 그어 봅니다.

해결하기 15분이 몇 시간인지 소수로 나타내면

$15분 = \frac{\square}{60}시간 = \frac{\square}{4}시간 = \frac{\square}{100}시간 = \square$시간입니다.

따라서 버스가 $\square$시간 동안 갈 수 있는 거리는

$69.7 \times \square = \square$ (km)입니다.

답 구하기 $\square$

한 시간에 276.3 L의 물이 나오는 수도가 있습니다. 이 수도에서 2시간 30분 동안 나오는 물의 양은 몇 L인지 구해 보세요.

구하려는 것, 주어진 것에 선을 그어 봅니다.

해결하기

답 구하기

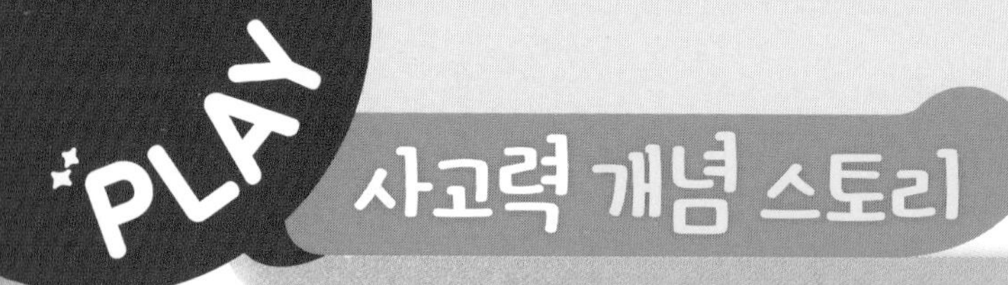

여러 행성에서의 몸무게

준비물 붙임딱지

여러 행성에서 몸무게를 재면 지구에서 잰 몸무게의 몇 배가 되는지 나타낸 것입니다. 친구들의 몸무게를 보고 어떤 행성에서 잰 것인지 알맞은 행성을 찾아 발 밑에 붙여 보세요.

목성 2.14배
토성 1.06배
금성 0.91배
해왕성 1.1배
38 kg
81.32 kg
40.28 kg
41.8 kg
42 kg
38.22 kg
44.52 kg
89.88 kg
50 kg
55 kg
45.5 kg
53 kg
4 주
사고력

사고력 개념 스토리 타일 붙이기

준비물 붙임딱지

타일을 붙여 무늬를 만들려고 합니다. 친구들이 가진 타일을 모두 사용하여 둘레가 가장 짧은 무늬를 만들고 둘레를 구해 보세요.

타일
집
4
주
사고력
한 변의 길이가
0.9 cm인 정사각형
모양 9개가 있어.
0.9 cm
만든 무늬의 둘레는
cm입니다.
한 변의 길이가
0.78 cm인 정사각형
모양 6개가 있어.
0.78 cm
만든 무늬의 둘레는
cm입니다.
한 변의 길이가
1.45 cm인 정삼각형
모양 타일이 12장 있어.
1.45 cm
만든 무늬의 둘레는
cm입니다.

1 단계 교과 사고력 잡기

1 **떨어진 높이의 0.7배만큼 튀어 오르는 공이 있습니다. 이 공을 12 m 높이에서 떨어뜨렸을 때 공이 두 번째로 튀어 오른 높이와 처음 떨어진 높이의 차는 몇 m인지 구해 보세요.** (㉠)

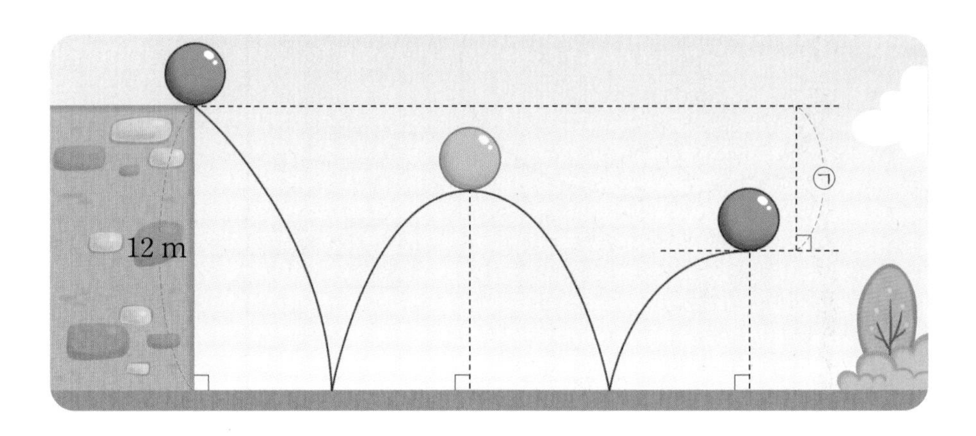

❶ 첫 번째로 튀어 오른 공의 높이는 몇 m일까요?

( )

❷ 두 번째로 튀어 오른 공의 높이는 몇 m일까요?

( )

❸ 공이 두 번째로 튀어 오른 높이와 처음 떨어진 높이의 차는 몇 m인지 구해 보세요.

( )

정답과 풀이 p.21

4 주
사고력

2 영주네 가족의 대화를 보고 세 사람의 몸무게의 합은 몇 kg인지 구해 보세요.

1 엄마의 몸무게는 몇 kg일까요?

( )

2 영주의 몸무게는 몇 kg일까요?

( )

3 세 사람의 몸무게의 합은 몇 kg인지 구해 보세요.

( )

3 **어느 도로의 한쪽에 처음부터 끝까지 일정한 간격으로 벚꽃나무와 개나리나무를 심었습니다. 벚꽃나무는 모두 17그루를 심었고, 개나리나무는 모두 20그루를 심었습니다. 도로의 길이는 몇 m인지 구해 보세요. (단, 나무의 굵기는 생각하지 않습니다.)**

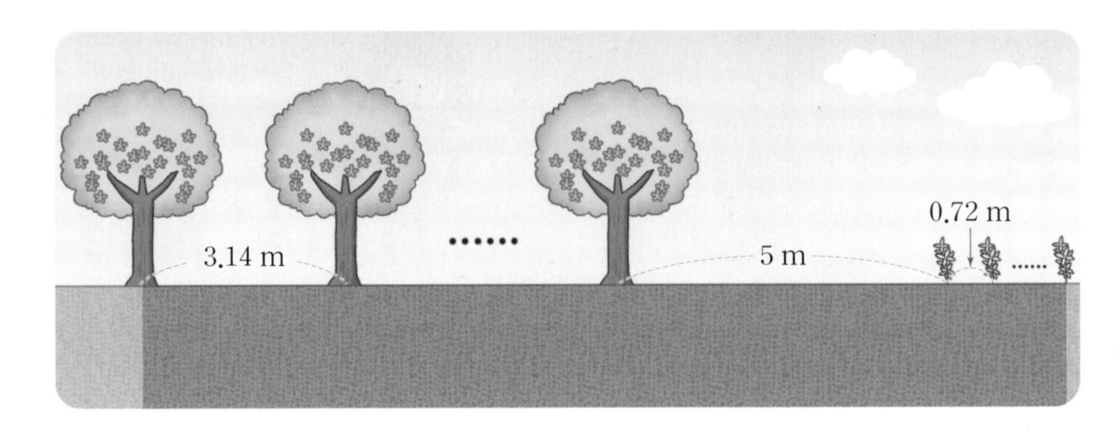

① 처음 벚꽃나무와 마지막 벚꽃나무 사이의 거리는 몇 m일까요?

( )

② 처음 개나리나무와 마지막 개나리나무 사이의 거리는 몇 m일까요?

( )

③ 도로의 길이는 몇 m인지 구해 보세요.

( )

4

그림과 같이 길이가 9.8 cm인 색 테이프 18장을 1.37 cm씩 겹치게 이어 붙였습니다. 이어 붙인 색 테이프 전체의 길이는 몇 cm인지 구해 보세요.

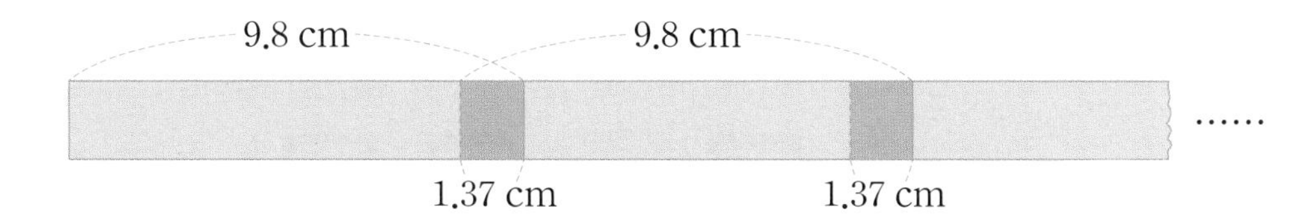

① 색 테이프 18장의 길이의 합은 몇 cm일까요?

(   )

② 겹친 부분의 길이의 합은 몇 cm일까요?

(   )

③ 이어 붙인 색 테이프 전체의 길이는 몇 cm인지 구해 보세요.

(   )

2단계 교과 사고력 확장

1 **4장의 카드를 한 번씩 모두 사용하여 소수 두 자리 수를 만들려고 합니다. 만들 수 있는 가장 큰 수와 가장 작은 수의 곱을 구해 보세요. (단, 소수 둘째 자리 수는 0이 아닙니다.)**

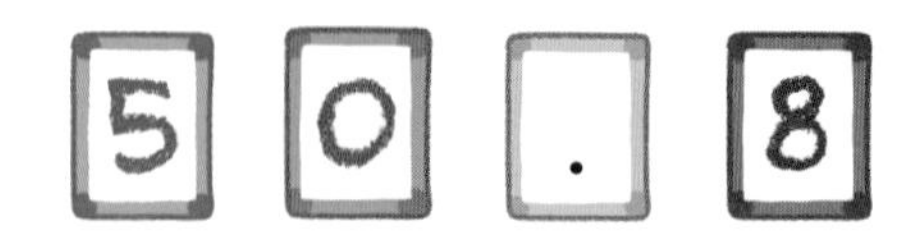

❶ 만들 수 있는 가장 큰 소수 두 자리 수를 써 보세요.

( )

❷ 만들 수 있는 가장 작은 소수 두 자리 수를 써 보세요.

( )

❸ ❶과 ❷에서 만든 두 수의 곱을 구해 보세요.

( )

2 정삼각형의 둘레와 정사각형의 한 변의 길이가 같습니다. 정사각형의 넓이는 몇 cm^2인지 구해 보세요.

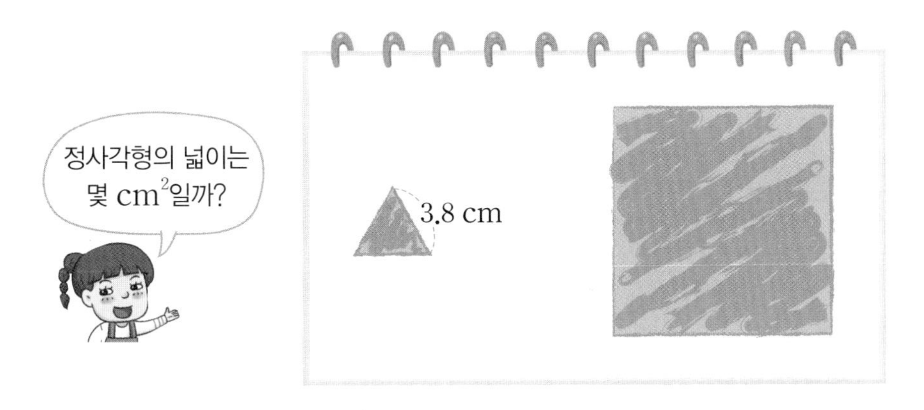

1. 정삼각형의 둘레는 몇 cm일까요?

( )

2. 정사각형의 한 변의 길이는 몇 cm일까요?

( )

3. 정사각형의 넓이는 몇 cm^2인지 구해 보세요.

( )

3

보기의 순서도를 보고 오른쪽 순서도에서 처리되어 나오는 값을 구해 보세요.

순서도: 수의 개념이나 어떤 일의 처리 과정을 그림으로 나타낸 것

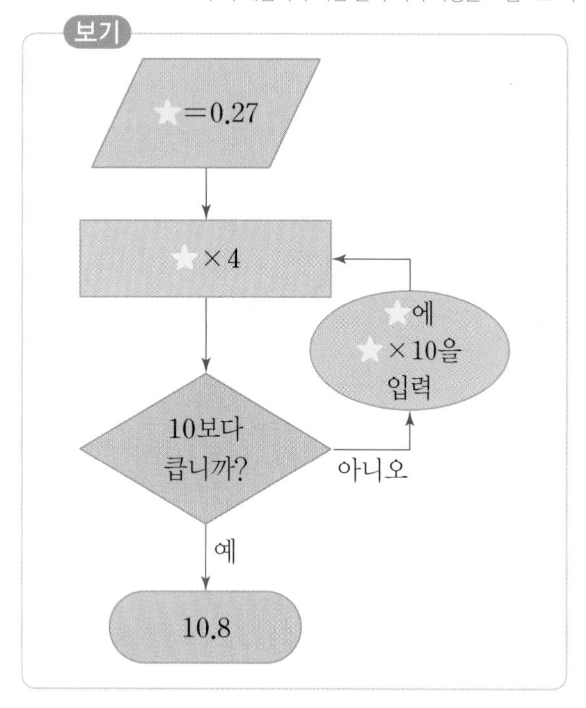

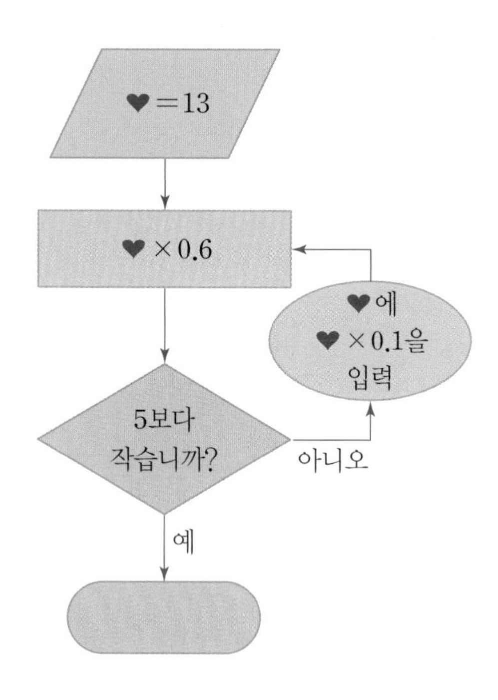

1. ♥×0.6을 구해 보세요.

( )

2. 알맞은 말에 ○표 하세요.

> 1에서 구한 값은 5보다 (작습니다 , 큽니다).

3. 순서도에서 처리되어 나오는 값을 구해 보세요.

( )

4

1분에 1.3 cm씩 일정한 빠르기로 타는 양초가 있습니다. 이 양초에 불을 붙이고 2분 12초 후에 껐더니 양초의 길이가 11.9 cm가 되었습니다. 처음 양초의 길이는 몇 cm인지 구해 보세요.

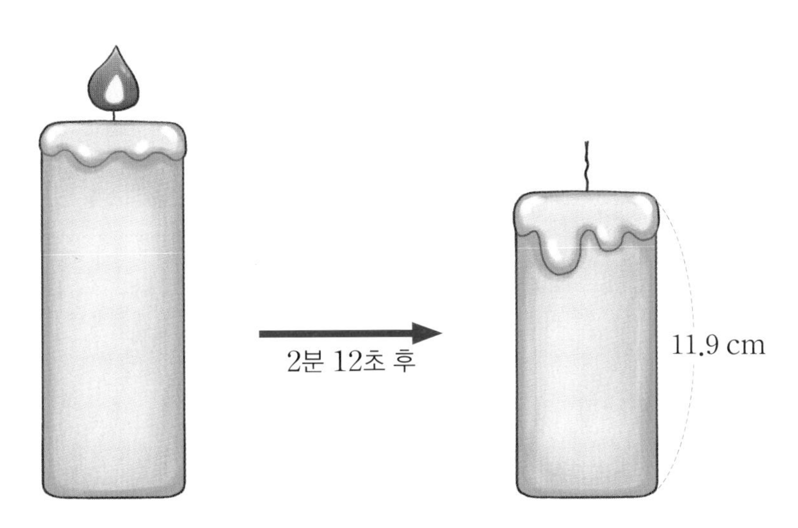

1. 2분 12초는 몇 분인지 소수로 나타내어 보세요.

( )

2. 2분 12초 동안 탄 양초의 길이는 몇 cm일까요?

( )

3. 처음 양초의 길이는 몇 cm인지 구해 보세요.

( )

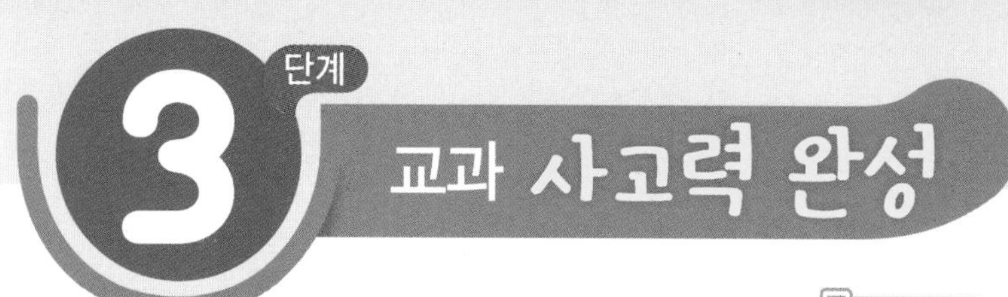

평가 영역 ☑개념 이해력 □개념 응용력 □창의력 □문제 해결력

1 보기 를 보고 오른쪽에 나오는 수는 얼마인지 써넣으세요.

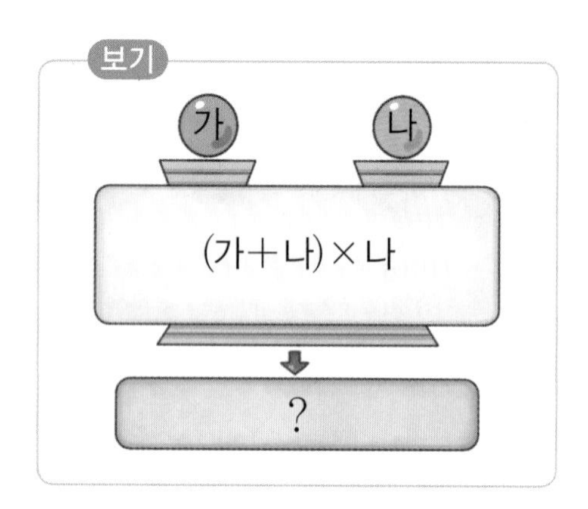

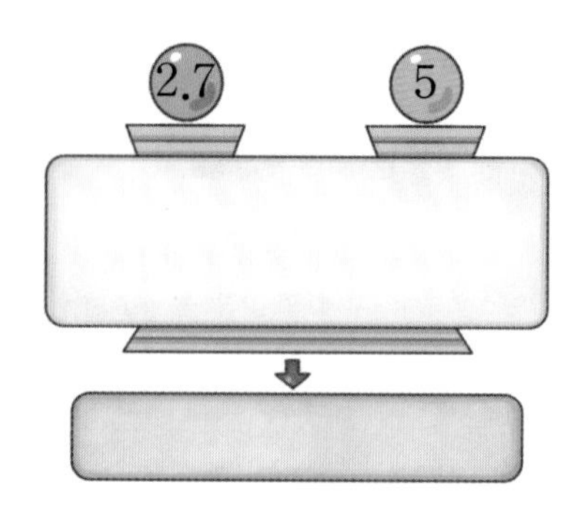

평가 영역 □개념 이해력 ☑개념 응용력 □창의력 □문제 해결력

2 계산기로 9.03×1.6을 계산하려고 두 소수를 눌렀는데 수 하나의 소수점 버튼의 순서를 잘못 눌러서 144.48이라는 결과가 나왔습니다. 계산기에 누른 두 소수를 구해 보세요.

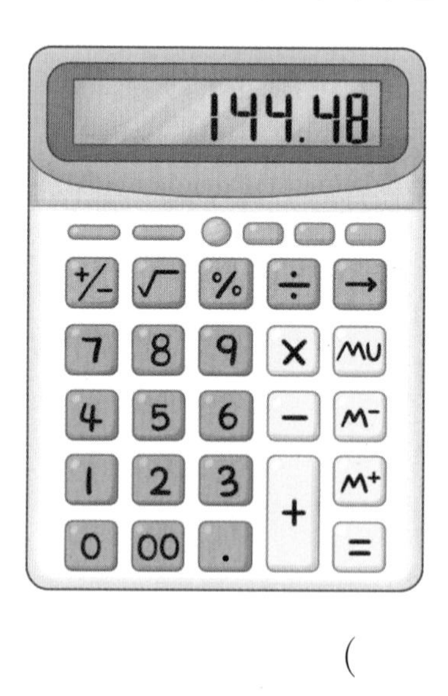

(,)

평가 영역 □개념 이해력 □개념 응용력 □창의력 ☑문제 해결력

3 학생들이 수가 쓰인 풍선을 들고 일정한 규칙대로 서 있습니다. 규칙에 따라 25번째에 서 있는 학생이 들고 있는 풍선에 쓰인 수를 구해 보세요.

( )

평가 영역 □개념 이해력 □개념 응용력 □창의력 ☑문제 해결력

4 도형의 넓이는 몇 cm^2인지 구해 보세요.

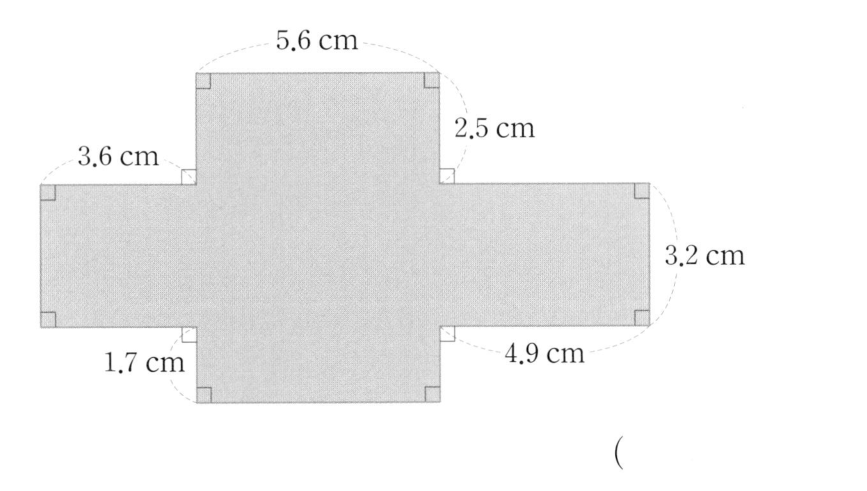

( )

맞은 개수

1

수 막대를 보고 □ 안에 알맞은 수를 써넣으세요.

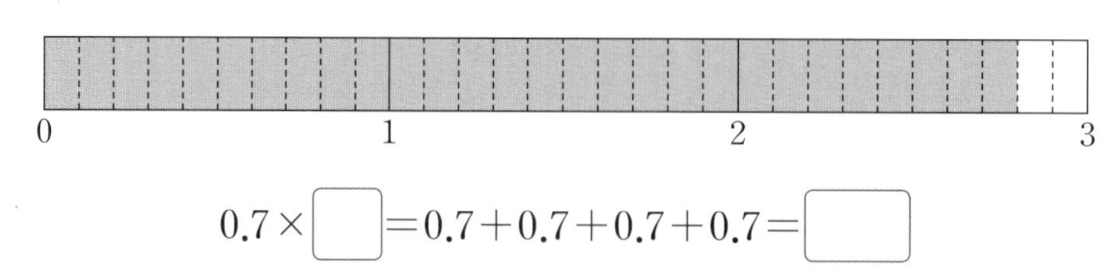

$0.7 \times \square = 0.7 + 0.7 + 0.7 + 0.7 = \square$

2

분수의 곱셈으로 계산하려고 합니다. □ 안에 알맞은 수를 써넣으세요.

$3.49 \times 5 = \frac{\square}{100} \times 5 = \frac{\square \times 5}{100} = \frac{\square}{100} = \square$

3

계산해 보세요.

(1) 8×0.2

(2) 6×0.11

(3) 5×1.9

(4) 4×2.7

4

계산 결과를 비교하여 ○ 안에 >, =, <를 알맞게 써넣으세요.

$4.2 \times 8 \bigcirc 3.6 \times 9$

정답과 풀이 p.23

5 보기 를 이용하여 □ 안에 알맞은 수를 써넣으세요.

보기

$309 \times 18 = 5562$

(1) $3.09 \times \square = 5.562$

(2) $\square \times 180 = 55.62$

4주 평가

6 계산 결과가 같은 것끼리 선으로 이어 보세요.

50×0.007 •	• 5×0.7
0.5×7 •	• 0.5×0.7

7 계산 결과가 자연수인 것의 기호를 써 보세요.

㉠ 16×1.5 ㉡ 3.4×2.5

(　　　　　　　　)

8 가장 큰 수와 가장 작은 수의 곱을 구해 보세요.

2.8　0.47　1.5　0.9

(　　　　　　　　)

평행사변형의 넓이는 몇 cm^2인지 구해 보세요.

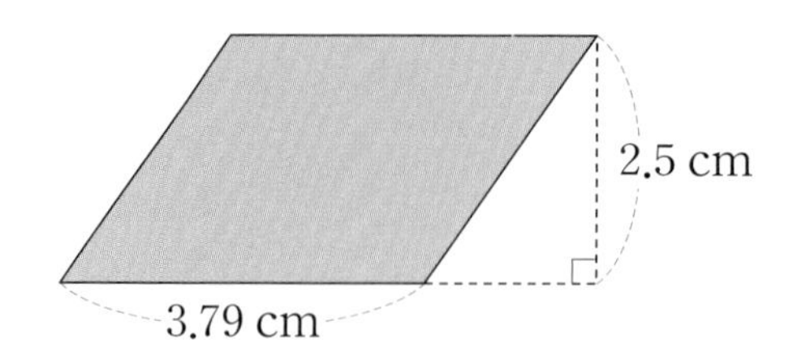

( )

10

㉠은 ㉡의 몇 배인지 구해 보세요.

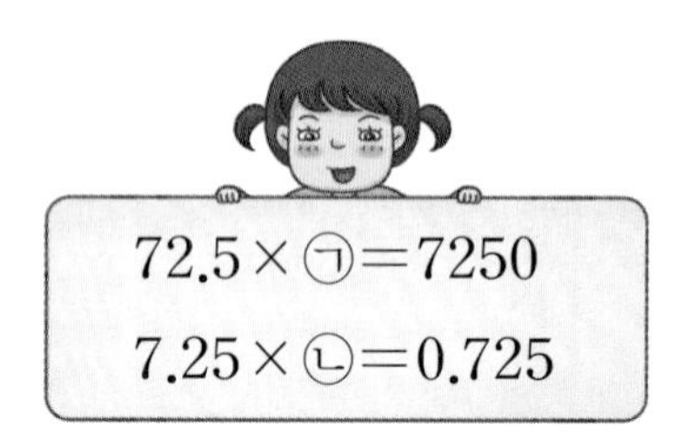

( )

11

3장의 수 카드 중 2장을 골라 한 번씩만 사용하여 소수 한 자리 수를 만들려고 합니다. 만들 수 있는 가장 큰 소수와 가장 작은 소수의 곱을 구해 보세요.

( )

정답과 풀이 p.24

12 계산 결과가 큰 것부터 차례대로 기호를 써 보세요.

㉠ 6.5×7	㉡ 3.6×2.9
㉢ 8×2.18	㉣ 5.12×2

( )

13 소리는 공기 중에서 1초에 0.37 km를 간다고 합니다. 번개를 보고 나서 12.6초 후에 천둥 소리를 들었다면 소리를 들은 곳은 번개 친 곳에서 몇 km 떨어져 있을까요?

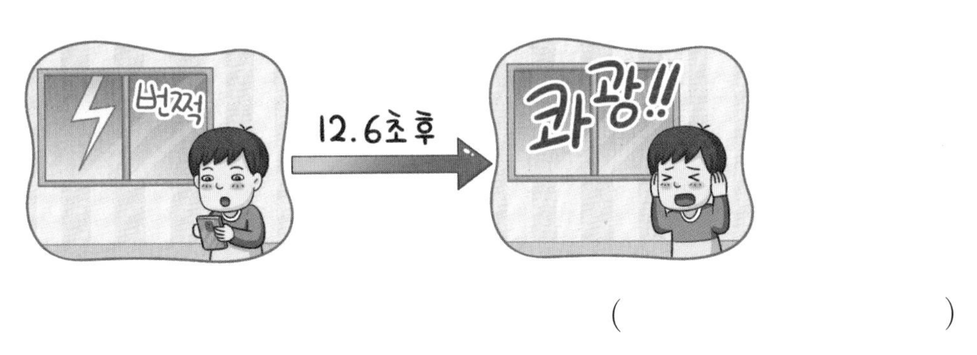

( )

14 어떤 수에 1.6을 곱해야 할 것을 잘못하여 뺐더니 0.72가 되었습니다. 바르게 계산한 값은 얼마인지 구해 보세요.

( )

15

보기 와 같이 61.72▲7.4를 계산해 보세요.

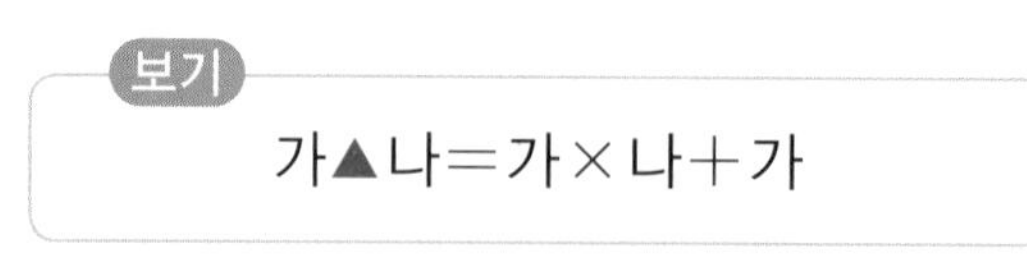

(　　　　　　　　　　)

16

두 사람의 몸무게의 합은 몇 kg인지 구해 보세요.

내 몸무게는
78 kg이야.
제 몸무게는 아빠
몸무게의 0.58배예요.
아버지
준수

(　　　　　　　　　　)

17

□ 안에 들어갈 수 있는 자연수는 모두 몇 개인지 구해 보세요.

$$6 \times 3.2 < \square < 0.8 \times 29$$

(　　　　　　　　　　)

정답과 풀이 p.24

특강 창의·융합 사고력

1

인쇄 용지 규격은 자르는 과정을 몇 번 반복했느냐에 따라 용지에 이름을 붙입니다. A0 용지는 가로가 84.1 cm, 세로가 118.9 cm인 직사각형 모양입니다. A2 용지와 A5 용지의 넓이의 차는 몇 cm^2인지 구해 보세요.

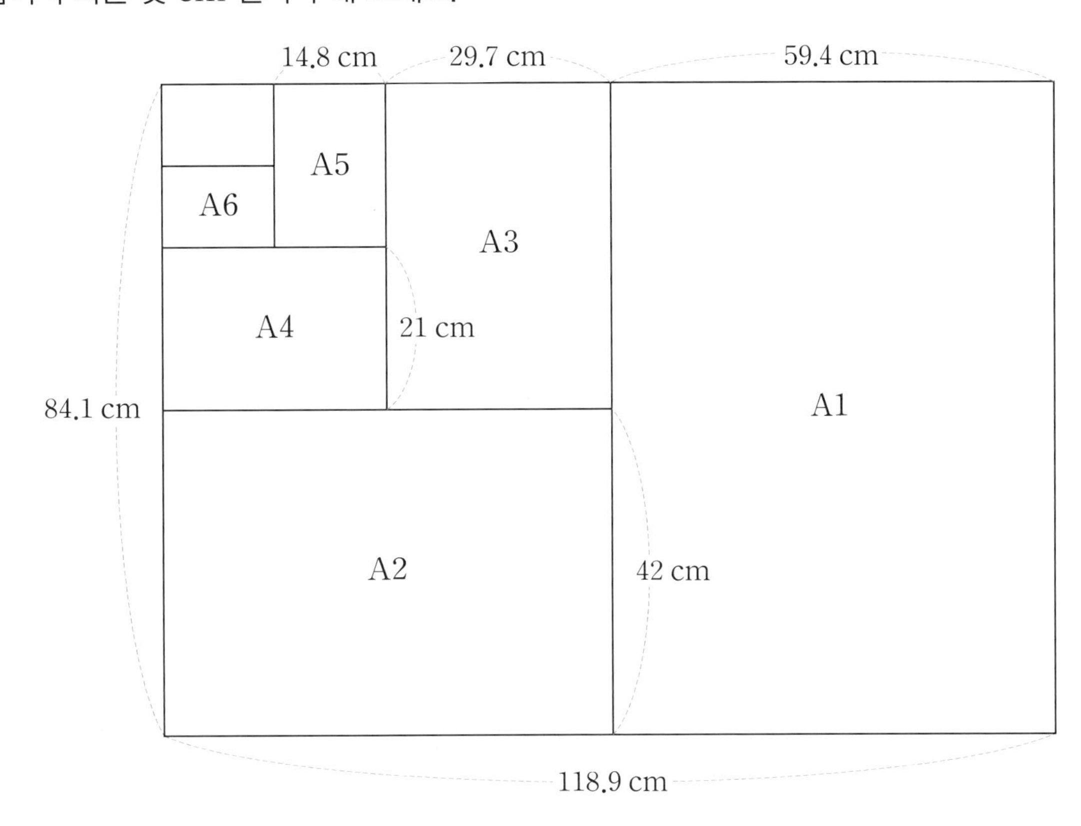

(1) A2 용지의 넓이는 몇 cm^2일까요?

( )

(2) A5 용지의 넓이는 몇 cm^2일까요?

( )

(3) A2 용지와 A5 용지의 넓이의 차는 몇 cm^2인지 구해 보세요.

( )

Memo

5-2 Run-B호 Play 붙임딱지

문제의 알맞은 곳에 붙임딱지를 붙여 보세요.

14~15쪽

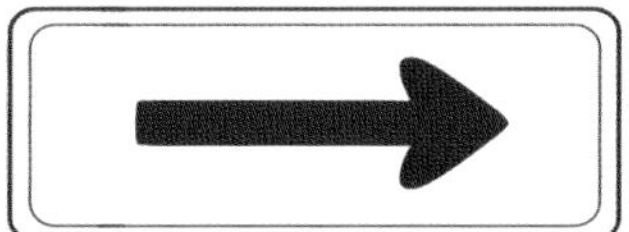

천천히
SLOW

STOP

SPEED
LIMIT
55

16~17쪽

32~33쪽

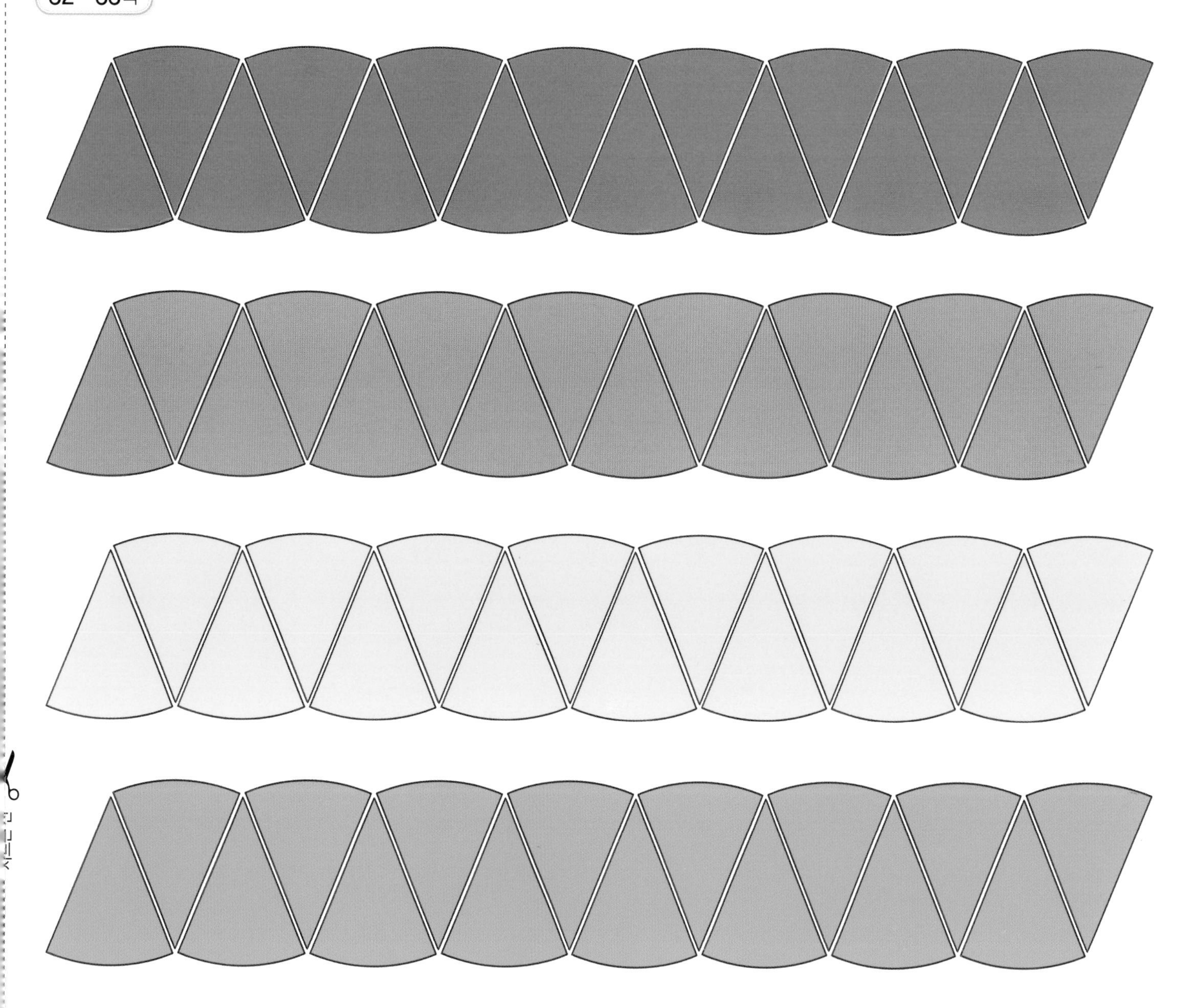

34~35쪽

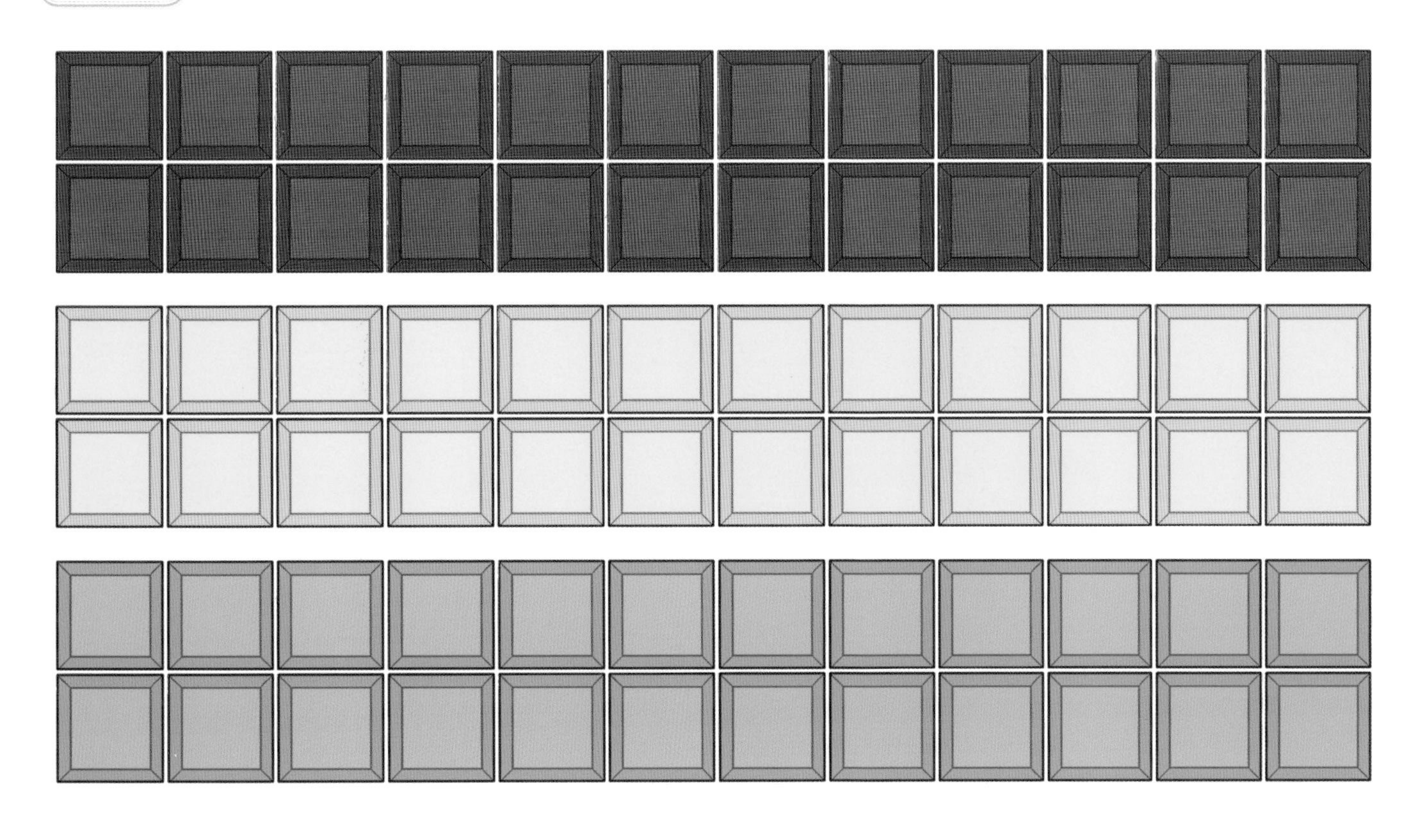

40쪽

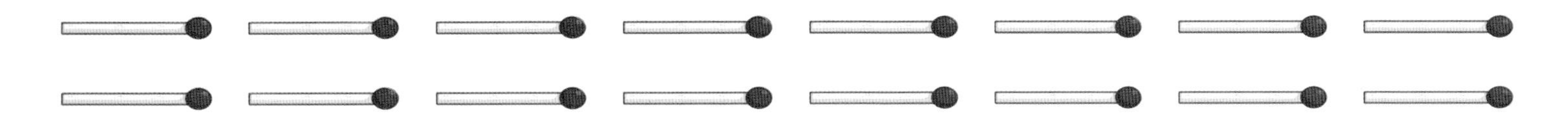

62~63쪽

64~65쪽

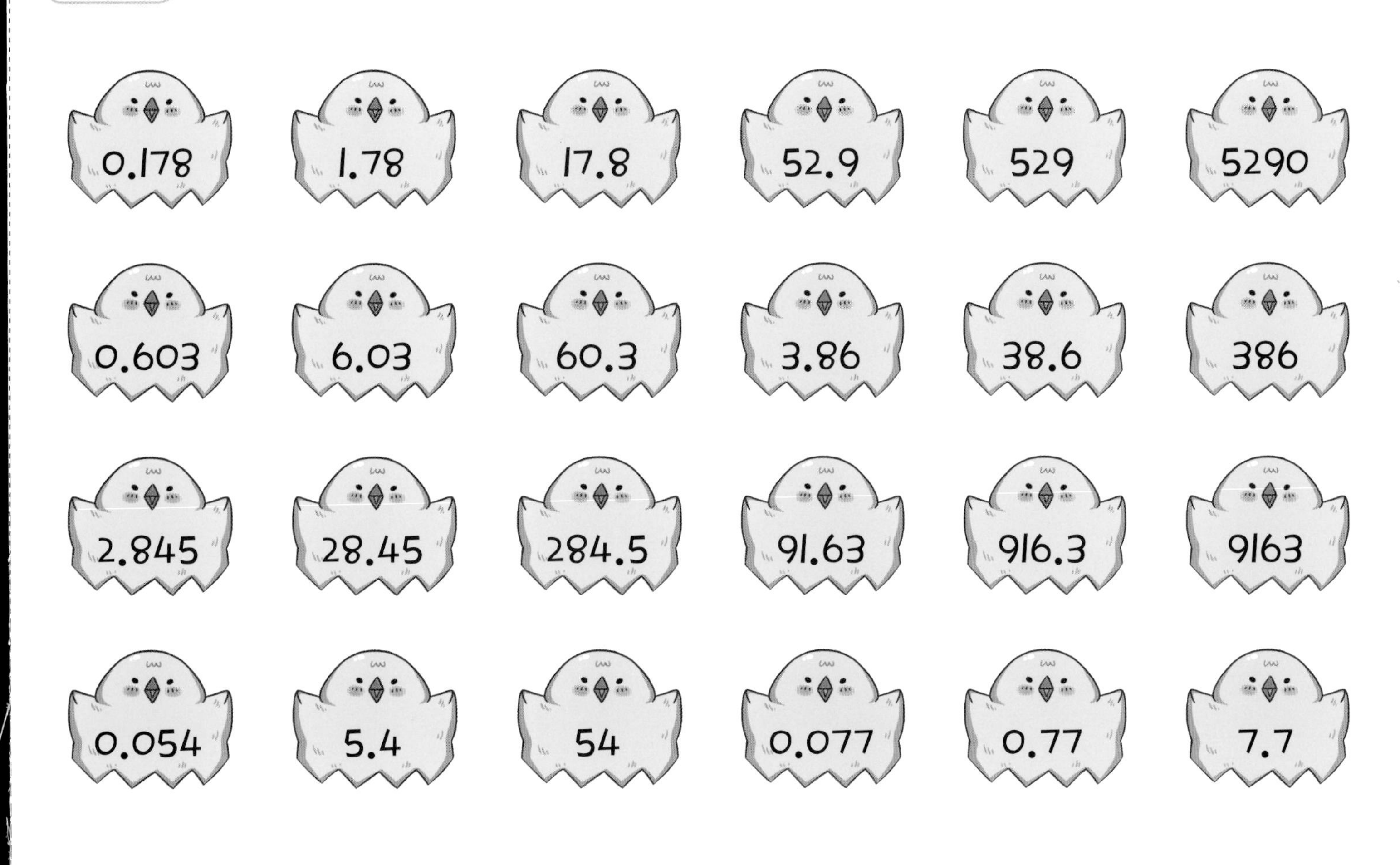
0.178
1.78
17.8
52.9
529
5290
0.603
6.03
60.3
3.86
38.6
386
2.845
28.45
284.5
91.63
916.3
9163
0.054
5.4
54
0.077
0.77
7.7

80~81쪽

82~83쪽

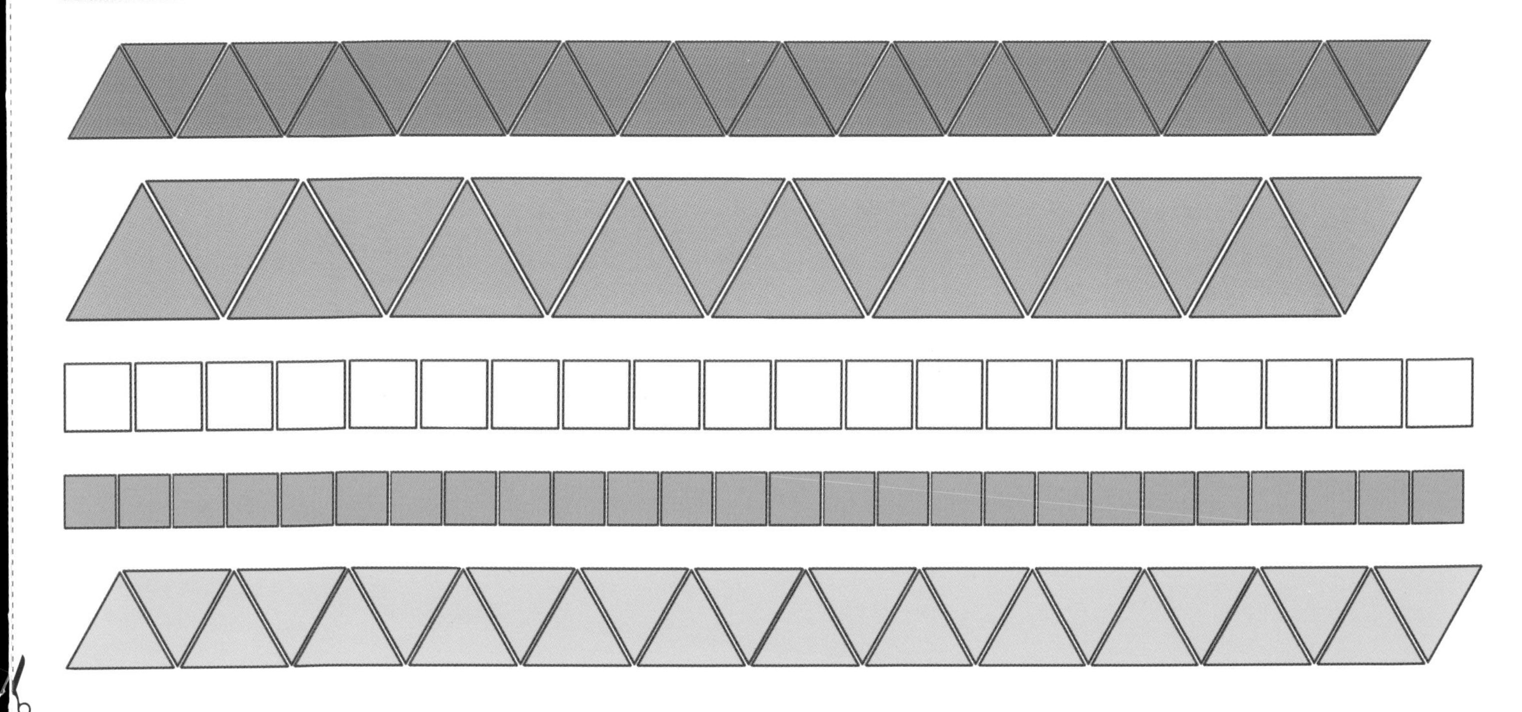

Go!
매쓰
GO!

사고력 중심

교과서 GO! 사고력 GO!

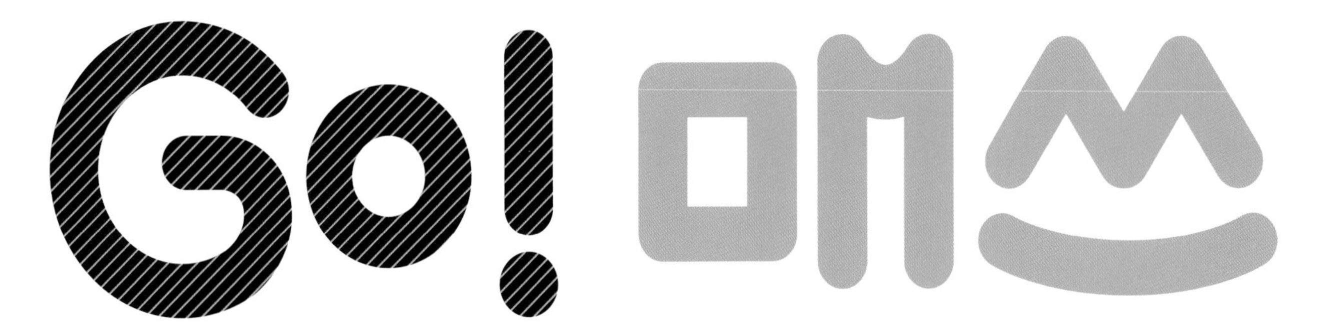

정답과 풀이

수학 5-2

열심히
풀었으니까,
한 번 맞춰 볼까?

4쪽 ~ 5쪽

3 합동과 대칭

데칼코마니

미술 시간에 데칼코마니 기법으로 그림을 그렸습니다. 데칼코마니는 종이 위에 물감을 두껍게 칠하고 그 종이를 반으로 접었다 펼치거나 다른 종이를 덮어 찍어서 대칭적인 무늬를 만드는 그림 기법입니다.

〈데칼코마니 그림 그리기〉

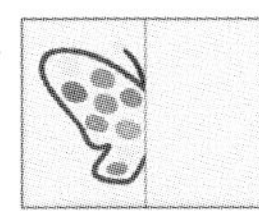
종이 위에 물감을 짜거나 두껍게 칠합니다.

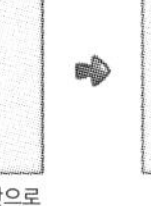
종이를 반으로 접습니다.
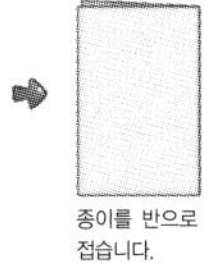
완성!

데칼코마니는 '복사하다', '전사하다'라는 뜻의 프랑스어 décalquer와 '편집'이라는 뜻의 프랑스어 manie의 합성어로 '전사법', '등사술'이라는 말입니다.
1935년 도밍게즈 Oscar Dominguez(1906~1958)가 최초로 발명해 낸 데칼코마니는 무의식, 우연의 효과를 존중하는 표현입니다. 그러한 우연성 속에서 여러 가지 환상을 불러일으킨다는 흥미에 이끌려 제2차 세계대전 직전에 에른스트 Max Ernst(1891~1976)가 종종 사용한 이래로 초현실주의 작가들이 즐겨 쓰기 시작한 중요한 표현 수단의 하나가 되었습니다.

〈데칼코마니 작품〉

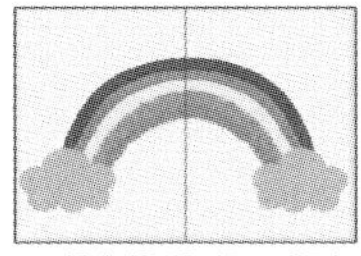
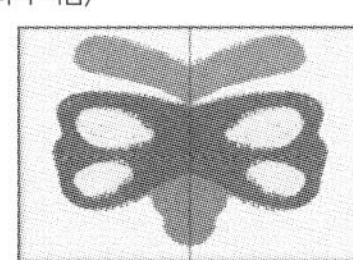
가운데 접은 선을 기준으로 왼쪽과 오른쪽에 대칭적인 무늬가 만들어집니다.

데칼코마니 기법으로 그림을 그리고 있습니다. 도화지를 접었다 펼쳤을 때 오른쪽에 나타날 그림을 찾아 선으로 이어 보세요.

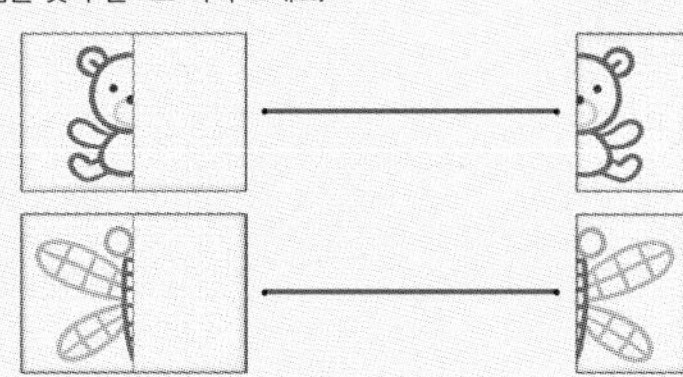

데칼코마니 기법으로 그린 그림입니다. 선 가와 선 나 중에서 어느 선을 따라 접었다 펼친 것인지 기호를 써 보세요.

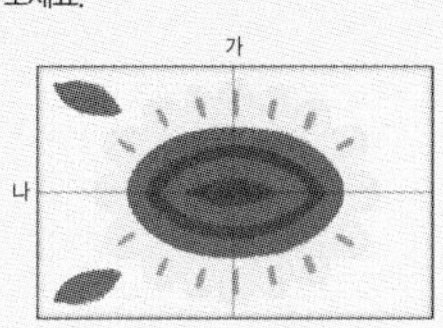

(나)

왼쪽 칠교판 조각과 포개었을 때 완전히 겹치는 조각에 ○표 하세요.

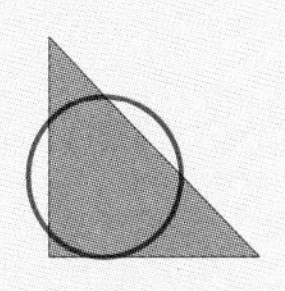

6쪽 ~ 7쪽

1단계 교과서 개념 잡기

개념 1 도형의 합동 알아보기

· 서로 합동인 두 도형: 모양과 크기가 같아서 포개었을 때 완전히 겹치는 도형

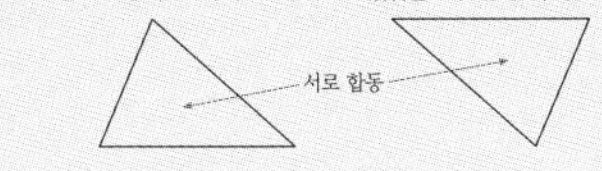

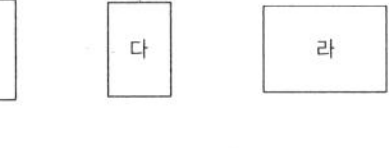

→ 도형 가와 포개었을 때 완전히 겹치는 도형은 도형 라입니다.
→ 도형 가와 도형 라는 서로 합동입니다.

· 서로 합동인 도형 만들기

① 직사각형 모양의 색종이를 잘라서 서로 합동인 도형 2개 만들기

→ 모양과 크기가 같은 도형이 2개가 되도록 만듭니다.

② 직사각형 모양의 색종이를 잘라서 서로 합동인 도형 4개 만들기

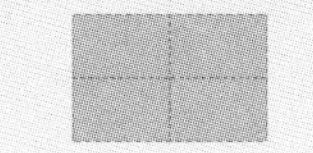

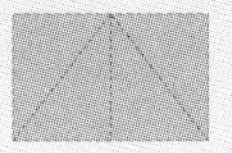

→ 모양과 크기가 같은 도형이 4개가 되도록 만듭니다.

③ 합동인 도형 그리기

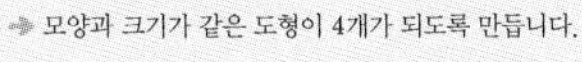
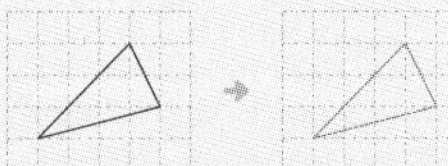

각각의 꼭짓점과 같은 위치에 점을 찍은 후 선분으로 이어 합동인 도형을 그립니다.

개념 확인 문제

정답과 풀이 p.1

1-1 왼쪽 도형과 포개었을 때 완전히 겹치는 도형을 찾아 ○표 하세요.

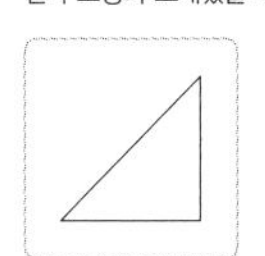
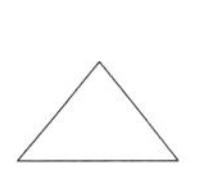
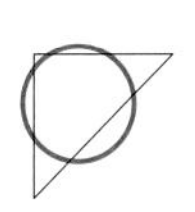
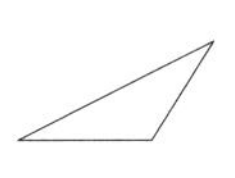

✤ 모양과 크기가 같은 도형을 찾습니다.

1-2 □ 안에 알맞은 말을 써넣으세요.

모양과 크기가 같아서 포개었을 때 완전히 겹치는 두 도형을 서로 [합동](이)라고 합니다.

1-3 주어진 도형과 서로 합동인 도형을 그려 보세요.

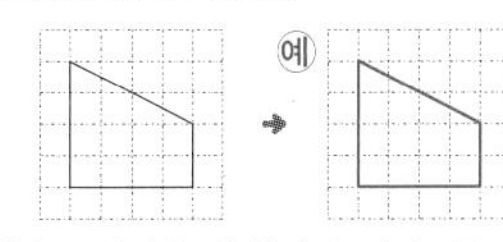

✤ 주어진 도형과 포개었을 때 완전히 겹치도록 그립니다.

1-4 직사각형 모양의 색종이를 잘라서 만들어진 두 도형이 서로 합동이 아닌 것을 찾아 ×표 하세요.

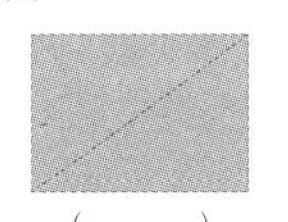
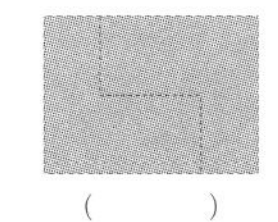
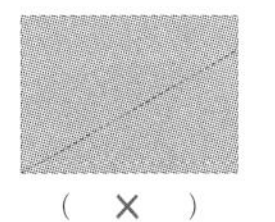

( ) ( ) (×)

✤ 점선을 따라 잘랐을 때 만들어진 두 도형을 포개었을 때 완전히 겹치면 두 도형은 서로 합동입니다.

1주 교과서

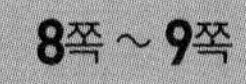

개념 2 합동인 두 도형의 성질 알아보기

- 대응점, 대응변, 대응각

서로 합동인 두 도형을 포개었을 때 겹치는 점을 대응점, 겹치는 변을 대응변, 겹치는 각을 대응각이라고 합니다.

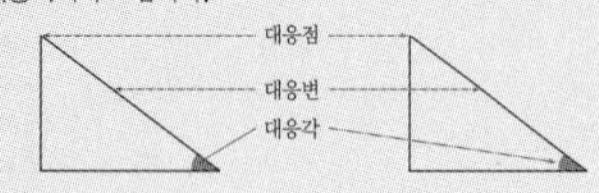

- 대응변과 대응각의 성질

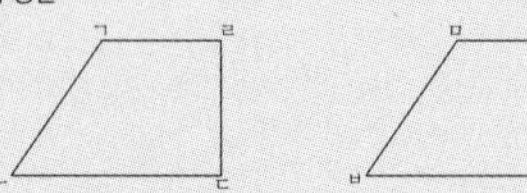

① 서로 합동인 두 도형에서 각각의 대응변의 길이는 서로 같습니다.
(변 ㄱㄴ)=(변 ㅁㅂ), (변 ㄴㄷ)=(변 ㅂㅅ),
(변 ㄷㄹ)=(변 ㅅㅇ), (변 ㄹㄱ)=(변 ㅇㅁ)

② 서로 합동인 두 도형에서 각각의 대응각의 크기는 서로 같습니다.
(각 ㄱㄴㄷ)=(각 ㅁㅂㅅ), (각 ㄴㄷㄹ)=(각 ㅂㅅㅇ),
(각 ㄷㄹㄱ)=(각 ㅅㅇㅁ), (각 ㄹㄱㄴ)=(각 ㅇㅁㅂ)

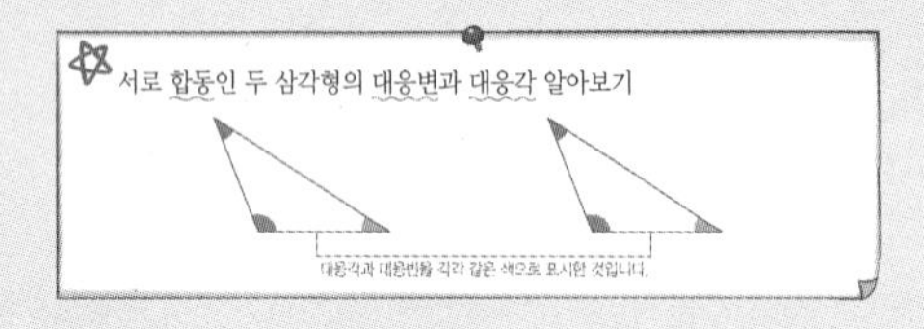

서로 합동인 두 삼각형의 대응변과 대응각 알아보기

개념 확인 문제

정답과 풀이 p.2

2-1 두 사각형은 서로 합동입니다. □ 안에 알맞은 말을 써넣으세요.

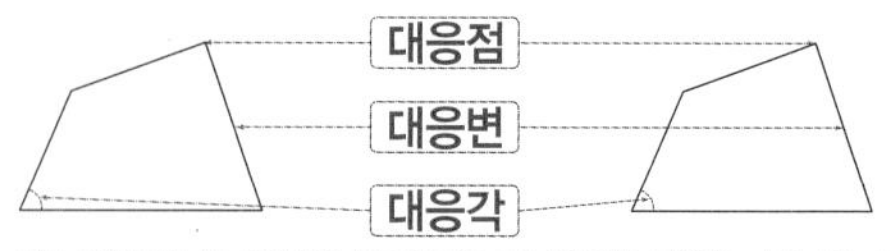

✣ 서로 합동인 두 도형을 포개었을 때 완전히 겹치는 점, 변, 각을 각각 대응점, 대응변, 대응각이라고 합니다.

2-2 두 삼각형은 서로 합동입니다. 물음에 답하세요.

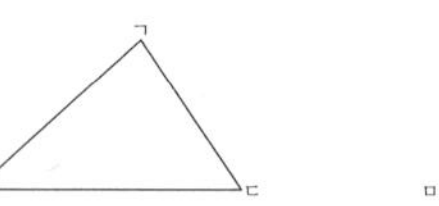

(1) 점 ㄴ의 대응점을 찾아 써 보세요. (점 ㅁ)

✣ 두 삼각형을 포개었을 때 점 ㄴ과 완전히 겹치는 점은 점 ㅁ입니다.

(2) 변 ㄴㄷ의 대응변을 찾아 써 보세요. (변 ㅁㅂ)

✣ 두 삼각형을 포개었을 때 변 ㄴㄷ과 완전히 겹치는 변은 변 ㅁㅂ입니다.

(3) 각 ㄱㄴㄷ의 대응각을 찾아 써 보세요. (각 ㄹㅁㅂ)

✣ 두 삼각형을 포개었을 때 각 ㄱㄴㄷ과 완전히 겹치는 각은 각 ㄹㅁㅂ입니다.

2-3 두 사각형은 서로 합동입니다. 물음에 답하세요.

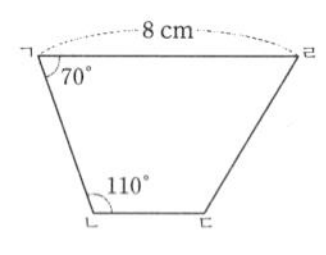

(1) 변 ㄱㄴ은 몇 cm일까요? (5 cm)

(2) 각 ㅇㅅㅂ은 몇 도일까요? (70°)

✣ (1) 변 ㄱㄴ의 대응변은 변 ㅅㅇ이므로 (변 ㄱㄴ)=(변 ㅅㅇ)=5 cm입니다.
(2) 각 ㅇㅅㅂ의 대응각은 각 ㄴㄱㄹ이므로 (각 ㅇㅅㅂ)=(각 ㄴㄱㄹ)=70°입니다.

10쪽 ~ 11쪽

1 단계 교과서 개념 잡기

개념 3 선대칭도형 알아보기

- 한 직선을 따라 접었을 때 완전히 겹치는 도형을 선대칭도형이라고 하고, 이때 그 직선을 대칭축이라고 합니다.

대칭축을 따라 포개었을 때 겹치는 점을 대응점, 겹치는 변을 대응변, 겹치는 각을 대응각이라고 합니다.

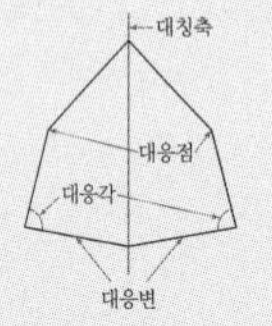

- 선대칭도형의 성질

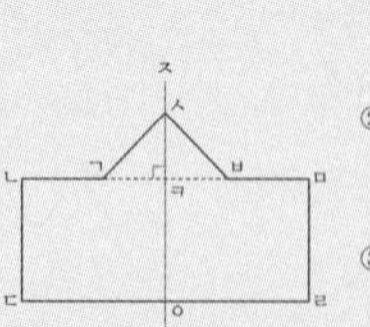

① 각각의 대응변의 길이가 서로 같습니다.
(변 ㄱㄴ)=(변 ㅂㅁ), (변 ㄴㄷ)=(변 ㅁㄹ),
(변 ㄷㅇ)=(변 ㄹㅇ), (변 ㅅㄱ)=(변 ㅅㅂ)

② 각각의 대응각의 크기가 서로 같습니다.
(각 ㄱㄴㄷ)=(각 ㅂㅁㄹ),
(각 ㄴㄷㅇ)=(각 ㅁㄹㅇ)

③ 대응점끼리 이은 선분은 대칭축과 수직으로 만납니다.
선분 ㄱㅂ과 대칭축은 수직으로 만납니다.

④ 각각의 대응점에서 대칭축까지의 거리가 서로 같습니다.
(선분 ㄱㅋ)=(선분 ㅂㅋ)

- 선대칭도형 그리기

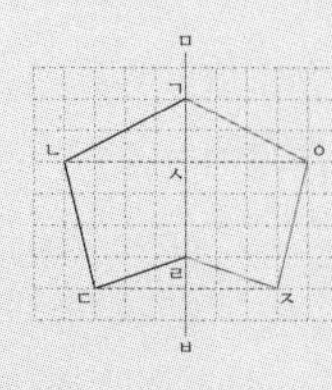

① 점 ㄴ에서 대칭축 ㅁㅂ에 수선을 긋고, 대칭축과 만나는 점을 찾아 점 ㅅ으로 표시합니다.

② 이 수선에 선분 ㄴㅅ과 길이가 같은 선분 ㅇㅅ이 되도록 점 ㄴ의 대응점을 찾아 점 ㅇ으로 표시합니다.

③ 위와 같은 방법으로 점 ㄷ의 대응점을 찾아 점 ㅈ으로 표시합니다.

④ 점 ㄹ과 점 ㅈ, 점 ㅈ과 점 ㅇ, 점 ㅇ과 점 ㄱ을 차례로 이어 선대칭도형이 되도록 그립니다.

개념 확인 문제

정답과 풀이 p.2

3-1 선대칭도형을 모두 찾아 ○표 하세요.

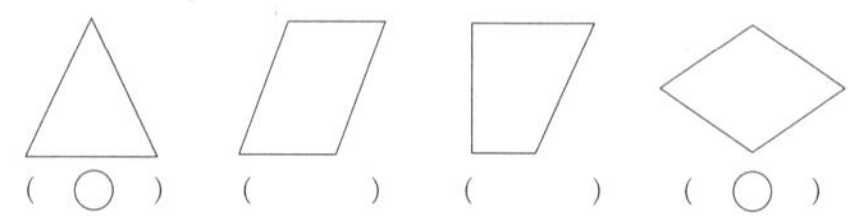

(○) (   ) (   ) (○)

✣ 한 직선을 따라 접었을 때 완전히 겹치는 도형을 찾습니다.

3-2 다음 도형은 선대칭도형입니다. 물음에 답하세요.

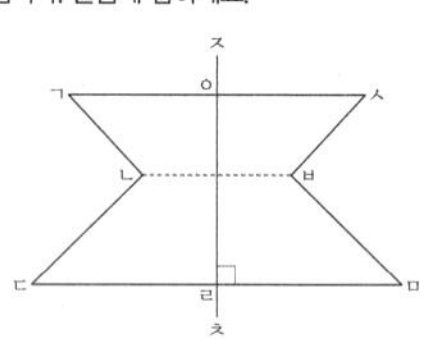

(1) 변 ㄱㄴ의 대응변을 찾아 써 보세요. (변 ㅅㅂ)

✣ 직선 ㅈㅊ을 따라 접었을 때 변 ㄱㄴ과 겹치는 변은 변 ㅅㅂ입니다.

(2) 각 ㄴㄷㄹ의 대응각을 찾아 써 보세요. (각 ㅂㅁㄹ)

✣ 직선 ㅈㅊ을 따라 접었을 때 각 ㄴㄷㄹ과 겹치는 각은 각 ㅂㅁㄹ입니다.

(3) 선분 ㄷㅁ이 대칭축과 만나서 이루는 각은 몇 도일까요? (90°)

✣ 대응점끼리 이은 선분은 대칭축과 수직으로 만나므로 선분 ㄷㅁ이 대칭축인 직선 ㅈㅊ과 만나서 이루는 각은 90°입니다.

3-3 직선 ㄱㄴ을 대칭축으로 하는 선대칭도형입니다. □ 안에 알맞은 수를 써넣으세요.

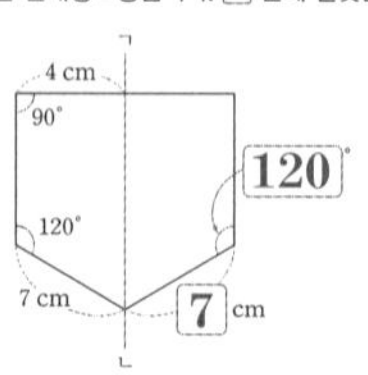

✣ 선대칭도형에서 각각의 대응변의 길이와 대응각의 크기는 서로 같습니다.

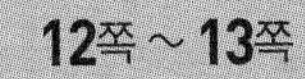

1단계 교과서 개념 잡기

개념 4 점대칭도형 알아보기

- 어떤 점을 중심으로 180° 돌렸을 때 처음 도형과 완전히 겹치는 도형을 점대칭도형이라고 하고, 이때 그 점을 대칭의 중심이라고 합니다.

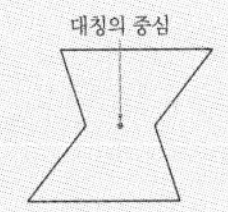

대칭의 중심을 중심으로 180° 돌렸을 때 겹치는 점을 대응점, 겹치는 변을 대응변, 겹치는 각을 대응각이라고 합니다.

- 점대칭도형의 성질

① 각각의 대응변의 길이가 서로 같습니다.
(변 ㄱㄴ)=(변 ㄹㅁ), (변 ㄴㄷ)=(변 ㅁㅂ),
(변 ㄷㄹ)=(변 ㅂㄱ)

② 각각의 대응각의 크기가 서로 같습니다.
(각 ㄱㄴㄷ)=(각 ㄹㅁㅂ), (각 ㄴㄷㄹ)=(각 ㅁㅂㄱ),
(각 ㄷㄹㅁ)=(각 ㅂㄱㄴ)

③ 대칭의 중심은 대응점끼리 이은 선분을 둘로 똑같이 나눕니다.
(선분 ㄱㅇ)=(선분 ㄹㅇ), (선분 ㄴㅇ)=(선분 ㅁㅇ),
(선분 ㄷㅇ)=(선분 ㅂㅇ)

- 점대칭도형 그리기

① 점 ㄴ에서 대칭의 중심인 점 ㅇ을 지나는 직선을 긋습니다.

② 이 직선에 선분 ㄴㅇ과 길이가 같은 선분 ㅂㅇ이 되도록 점 ㄴ의 대응점을 찾아 점 ㅂ으로 표시합니다.

③ 위와 같은 방법으로 점 ㄷ과 점 ㄹ의 대응점을 찾아 점 ㅅ과 점 ㅈ으로 각각 표시합니다.

④ 점 ㄱ의 대응점은 점 ㅁ입니다.

⑤ 점 ㅁ과 점 ㅂ, 점 ㅂ과 점 ㅅ, 점 ㅅ과 점 ㅈ, 점 ㅈ과 점 ㄱ을 차례로 이어 점대칭도형이 되도록 그립니다.

정답과 풀이 p.3

개념 확인 문제

4-1 점대칭도형을 모두 찾아 ○표 하세요.

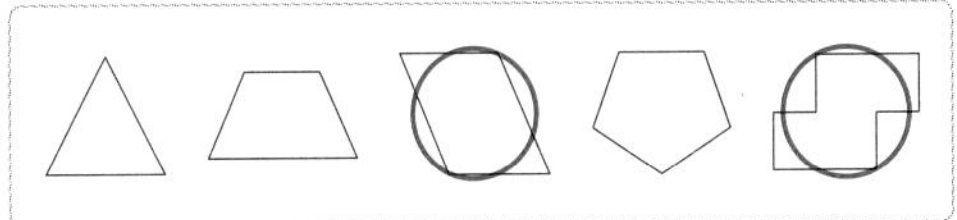

❖ 어떤 점을 중심으로 180° 돌렸을 때 처음 도형과 완전히 겹치는 도형을 모두 찾습니다.

1주 교과서

4-2 다음 도형은 점대칭도형입니다. 물음에 답하세요.

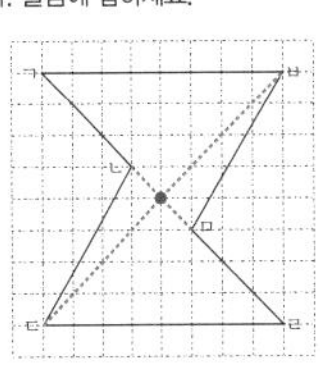

(1) 대칭의 중심을 찾아 점(•)으로 표시해 보세요.

(2) 점 ㄷ의 대응점을 찾아 써 보세요. (점 ㅂ)

❖ 대칭의 중심을 중심으로 180° 돌렸을 때 점 ㄷ과 겹치는 점은 점 ㅂ입니다.

(3) 각 ㄴㄱㅂ의 대응각을 찾아 써 보세요. (각 ㅁㄹㄷ)

❖ 대칭의 중심을 중심으로 180° 돌렸을 때 각 ㄴㄱㅂ과 겹치는 각은 각 ㅁㄹㄷ입니다.

4-3 점 ㅋ을 대칭의 중심으로 하는 점대칭도형입니다. □ 안에 알맞은 수를 써넣으세요.

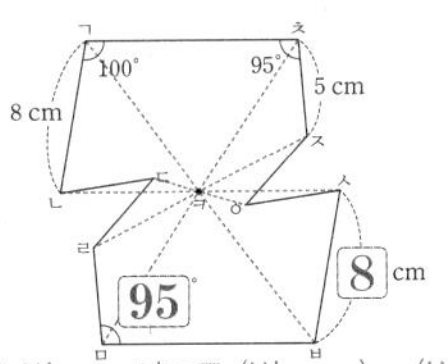

❖ 변 ㅂㅅ의 대응변은 변 ㄱㄴ이므로 (변 ㅂㅅ)=(변 ㄱㄴ)=8 cm입니다.
각 ㄹㅁㅂ의 대응각은 각 ㅈㅊㄱ이므로
(각 ㄹㅁㅂ)=(각 ㅈㅊㄱ)=95°입니다.

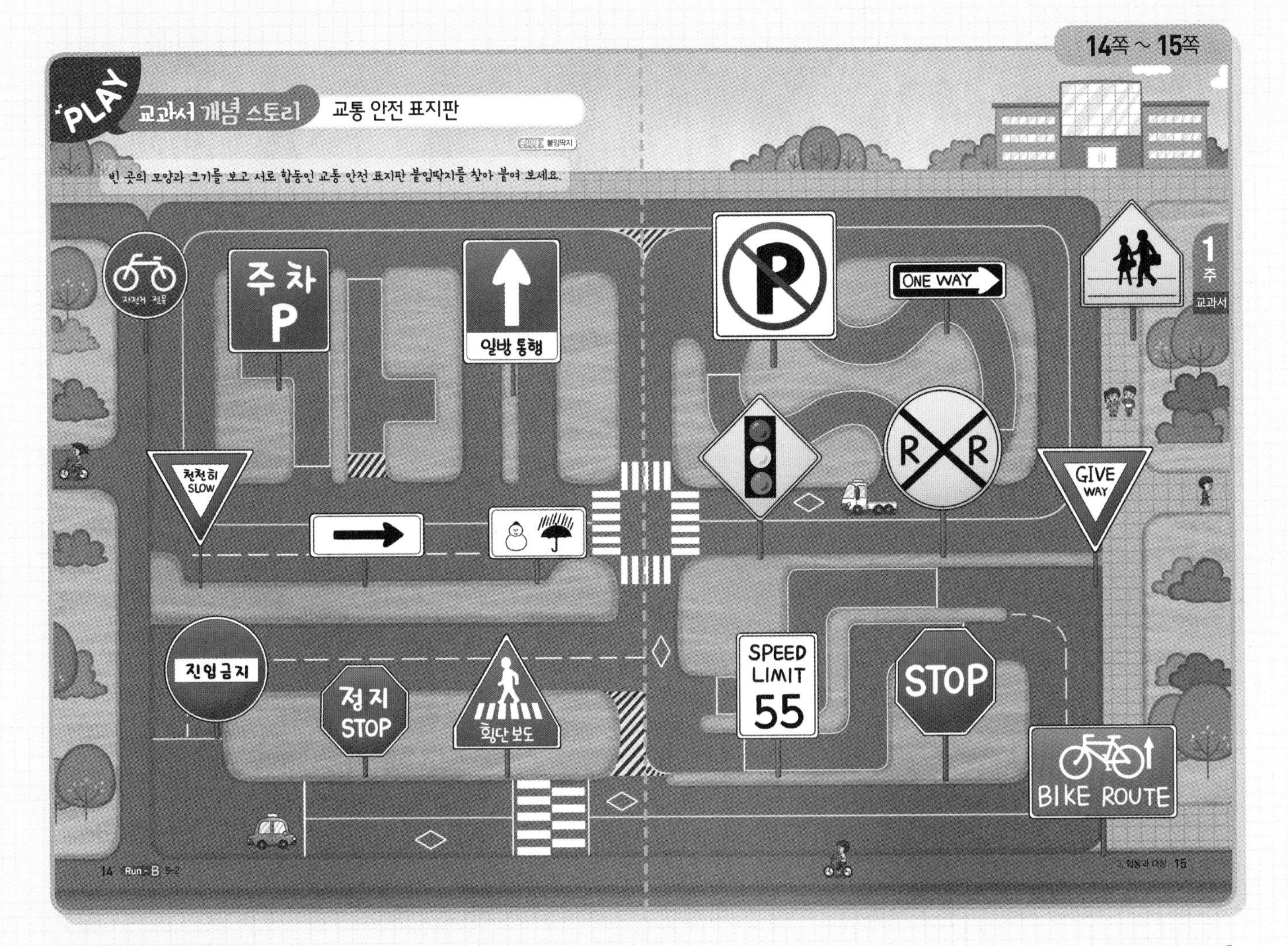

16쪽 ~ 17쪽

PLAY 교과서 개념 스토리 퍼즐 조각
학생들이 가지고 있는 퍼즐 조각의 일부분입니다.
조각들이 선대칭도형과 점대칭도형이 되도록 각각 붙임딱지를 붙여 보세요.
선대칭도형
점대칭도형
선대칭도형
점대칭도형
선대칭도형
점대칭도형
선대칭도형
점대칭도형
✤ 한 직선을 따라 접었을 때 완전히 겹치는 도형을 선대칭도형이라고 합니다.
한 도형을 어떤 점을 중심으로 180° 돌렸을 때 처음 도형과 완전히 겹치면 이 도형을 점대칭도형이라고 합니다.

18쪽 ~ 19쪽

2단계 교과서 개념 다지기

정답과 풀이 p.4

개념 1 도형의 합동 알아보기

01 서로 합동인 도형을 모두 찾아 써 보세요.

가
나
다
라
마
바

나와 바, 다와 라

✤ 모양과 크기가 같아서 포개었을 때 완전히 겹치는 것은 나와 바, 다와 라입니다.

02 주어진 도형과 서로 합동인 도형을 그려 보세요.

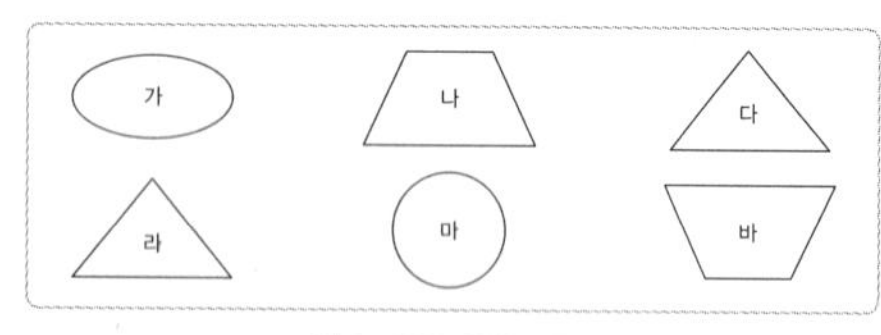
(1)
예
(2)
예

✤ 주어진 도형의 꼭짓점과 같은 위치에 점을 찍은 후 점들을 이어 그립니다.

03 마름모에 선을 2개 그어 서로 합동인 삼각형 4개를 만들어 보세요.

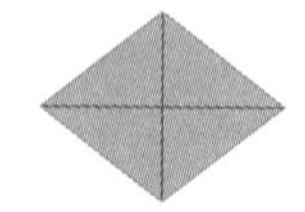

✤ 모양과 크기가 같은 삼각형 4개가 되도록 선을 2개 긋습니다.

개념 2 합동인 도형의 성질 알아보기

04 두 삼각형은 서로 합동입니다. 대응점, 대응변, 대응각을 각각 써 보세요.

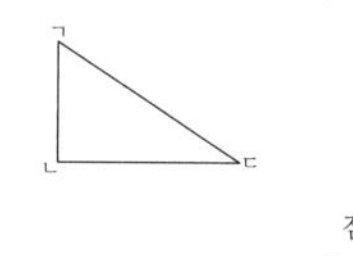
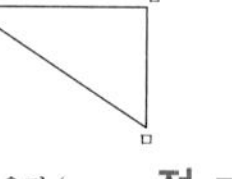
ㄱ
ㄴ
ㄷ
ㄹ
ㅂ
ㅁ

점 ㄱ의 대응점 (점 ㅁ)
변 ㄴㄷ의 대응변 (변 ㅂㄹ)
각 ㄷㄱㄴ의 대응각 (각 ㄹㅁㅂ)

✤ 서로 합동인 두 도형을 포개었을 때 완전히 겹치는 점, 변, 각을 찾습니다.

05 두 사각형은 서로 합동입니다. 물음에 답하세요.

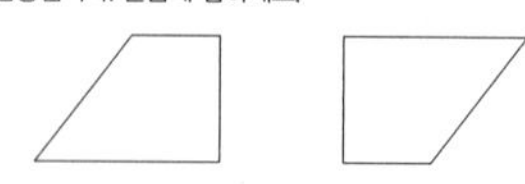

(1) 대응점은 몇 쌍일까요? (4쌍)

(2) 대응변은 몇 쌍일까요? (4쌍)

(3) 대응각은 몇 쌍일까요? (4쌍)

✤ 서로 합동인 두 사각형에서 대응점, 대응변, 대응각은 각각 4쌍입니다.

06 두 삼각형은 서로 합동입니다. 각 ㄹㅂㅁ은 몇 도인지 구해 보세요.

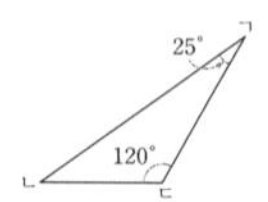
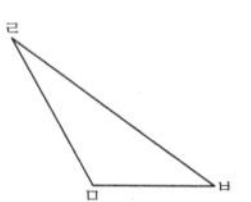
25°
ㄱ
120°
ㄴ
ㄷ
ㄹ
ㅁ
ㅂ

(35°)

✤ 각 ㄹㅂㅁ의 대응각은 각 ㄱㄴㄷ입니다.
삼각형 ㄱㄴㄷ에서 세 각의 크기의 합은 180°이므로
(각 ㄱㄴㄷ)$=180^\circ-25^\circ-120^\circ=35^\circ$입니다.
→ (각 ㄹㅂㅁ)=(각 ㄱㄴㄷ)$=35^\circ$

정답과 풀이 p.5

개념 3 선대칭도형 알아보기

07 선대칭도형이 아닌 것을 찾아 기호를 써 보세요.

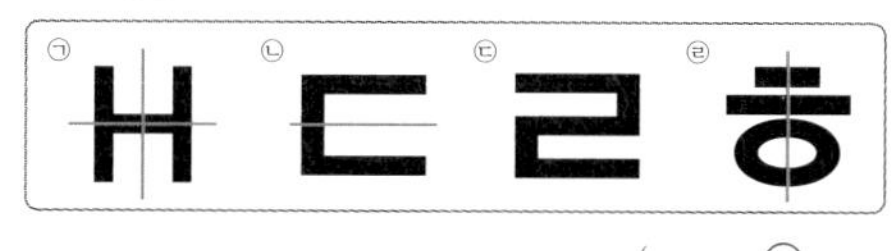

(㉢)

❖ 한 직선을 따라 접었을 때 완전히 겹치는 도형을 선대칭도형이라고 합니다.

08 다음 도형은 선대칭도형입니다. 대칭축을 모두 그려 보세요.

(1) 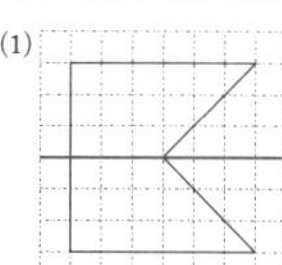 (2) 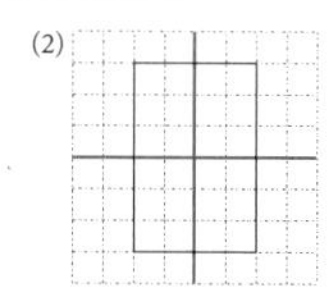

❖ 완전히 겹치도록 접을 수 있는 직선을 모두 그립니다.

09 직선 ㄱㄴ을 대칭축으로 하는 선대칭도형입니다. □ 안에 알맞은 수를 써넣으세요.

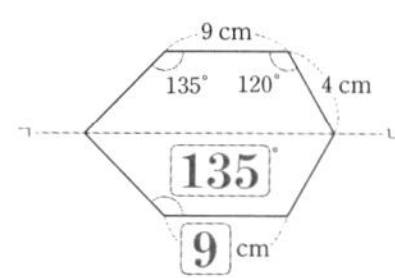

❖ 선대칭도형에서 각각의 대응변의 길이와 대응각의 크기는 서로 같습니다.

10 직선 ㄱㄴ을 대칭축으로 하는 선대칭도형을 완성해 보세요.

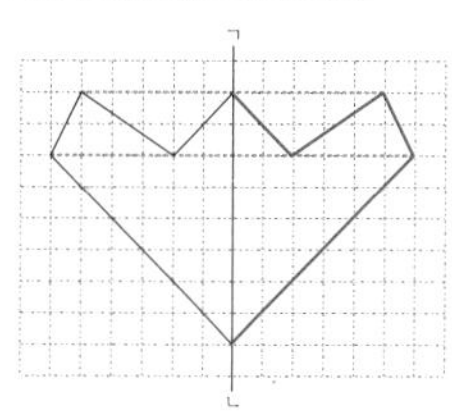

❖ 대응점을 찾아 표시한 후 차례로 이어 선대칭도형을 완성합니다.

11 다음 도형은 선대칭도형입니다. 대칭축이 많은 순서대로 기호를 써 보세요.

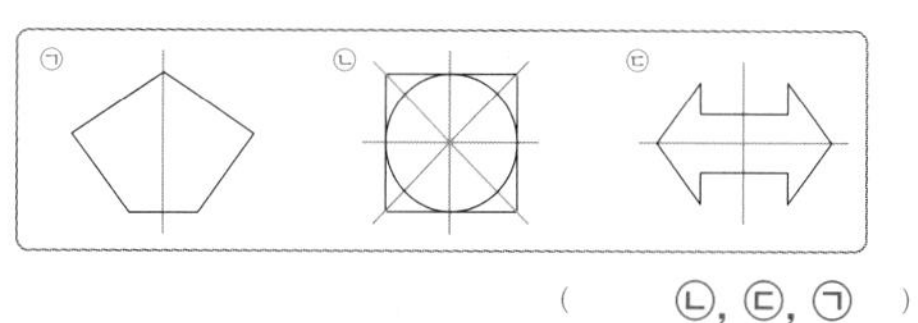

(㉡, ㉢, ㉠)

❖ ㉠ 1개, ㉡ 4개, ㉢ 2개
➜ $4>2>1$

12 직선 ㅅㅇ을 대칭축으로 하는 선대칭도형입니다. □ 안에 알맞은 수를 써넣으세요.

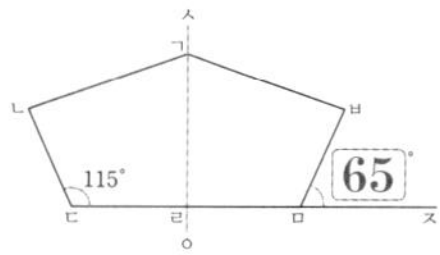

❖ 각 ㅂㅁㄹ의 대응각은 각 ㄴㄷㄹ이므로
(각 ㅂㅁㄹ)=(각 ㄴㄷㄹ)$=115°$입니다.
➜ (각 ㅂㅁㅈ)$=180°-115°=65°$

1주 교과서

2단계 교과서 개념 다지기

정답과 풀이 p.5

개념 4 점대칭도형 알아보기

13 점대칭도형을 찾아 기호를 써 보세요.

(㉢)

❖ 어떤 점을 중심으로 180° 돌렸을 때 처음 도형과 완전히 겹치는 도형을 점대칭도형이라고 합니다.

14 다음 도형은 점대칭도형입니다. 대칭의 중심을 찾아 점(•)으로 표시해 보세요.

(1) 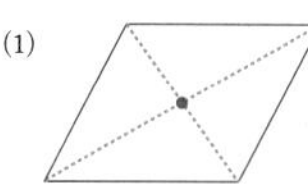 (2) 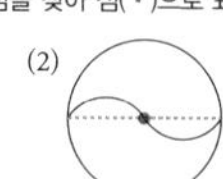

❖ 대응점끼리 이은 선분이 만나는 점이 대칭의 중심입니다.

15 점 ㅇ을 대칭의 중심으로 하는 점대칭도형입니다. 물음에 답하세요.

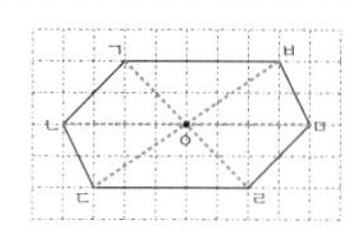

(1) 각각의 대응변을 찾아 써 보세요.

변 ㄱㄴ	변 ㄴㄷ	변 ㄷㄹ
변 ㄹㅁ	변 ㅁㅂ	변 ㅂㄱ

(2) 각각의 대응각을 찾아 써 보세요.

각 ㄱㄴㄷ	각 ㄴㄷㄹ	각 ㄷㄹㅁ
각 ㄹㅁㅂ	각 ㅁㅂㄱ	각 ㅂㄱㄴ

❖ 점 ㅇ을 중심으로 180° 돌렸을 때 겹치는 변, 각을 찾습니다.

16 점 ㅇ을 대칭의 중심으로 하는 점대칭도형입니다. □ 안에 알맞은 수를 써넣으세요.

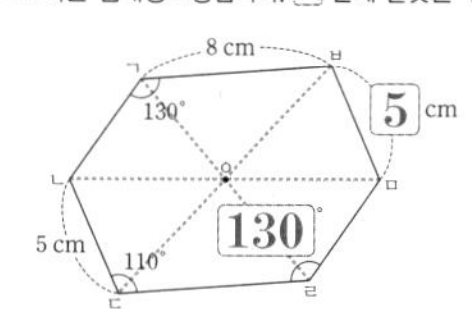

❖ 점대칭도형에서 각각의 대응변의 길이와 대응각의 크기는 서로 같습니다.
(변 ㅁㅂ)=(변 ㄴㄷ)$=5$ cm, (각 ㄷㄹㅁ)=(각 ㅂㄱㄴ)$=130°$

17 점 ㅇ을 대칭의 중심으로 하는 점대칭도형을 완성해 보세요.

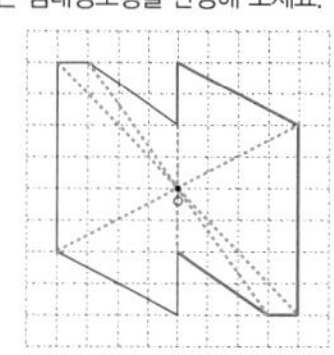

❖ 대응점을 찾아 표시한 후 차례로 이어 점대칭도형이 되도록 그립니다.

18 점 ㅇ을 대칭의 중심으로 하는 점대칭도형입니다. 선분 ㅂㅇ은 몇 cm인지 구해 보세요.

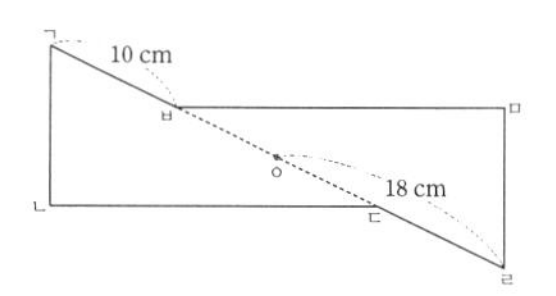

(8 cm)

❖ 점 ㄱ과 점 ㄹ이 대응점이므로
(선분 ㄱㅇ)=(선분 ㄹㅇ)$=18$ cm입니다.
➜ (선분 ㅂㅇ)$=18-10=8$ (cm)

1주 교과서

3단계 교과서 실력 다지기

정답과 풀이 p.6

합동인 도형의 변의 길이 구하기

1 두 삼각형은 서로 합동입니다. 삼각형 ㄱㄴㄷ의 둘레가 33 cm일 때 변 ㅁㅂ은 몇 cm인지 구해 보세요.

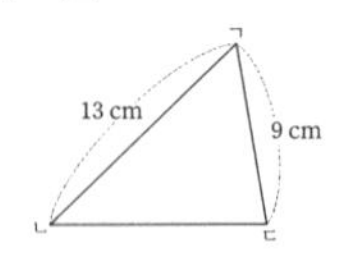

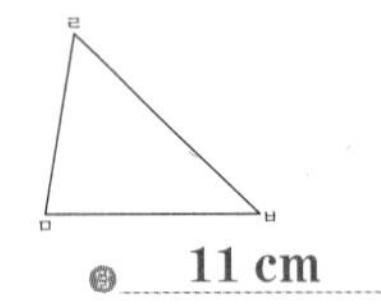

답 11 cm

개념 피드백: 서로 합동인 두 도형에서 각각의 대응변의 길이는 서로 같습니다.

✤ 변 ㅁㅂ의 대응변은 변 ㄷㄴ입니다.
➔ (변 ㅁㅂ)=(변 ㄷㄴ)$=33-13-9=11$ (cm)

1-1 두 삼각형은 서로 합동입니다. 삼각형 ㄹㅁㅂ의 둘레가 29 cm일 때 변 ㄱㄷ은 몇 cm인지 구해 보세요.

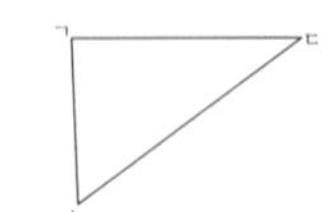

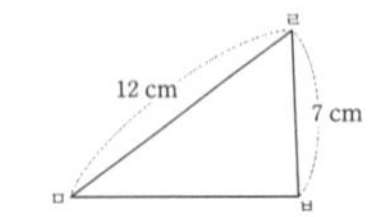

✤ 변 ㄱㄷ의 대응변은 변 ㅂㅁ입니다. (10 cm)
➔ (변 ㄱㄷ)=(변 ㅂㅁ)$=29-12-7=10$ (cm)

1-2 두 사각형은 서로 합동입니다. 사각형 ㄱㄴㄷㄹ의 둘레가 52 cm일 때 변 ㄱㄴ은 몇 cm인지 구해 보세요.

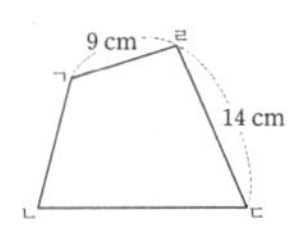

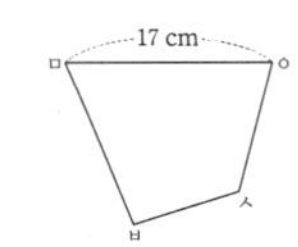

✤ 변 ㄴㄷ의 대응변은 변 ㅇㅁ이므로 (12 cm)
(변 ㄴㄷ)=(변 ㅇㅁ)=17 cm입니다.
➔ (변 ㄱㄴ)$=52-9-14-17=12$ (cm)

합동인 도형의 각의 크기 구하기

2 두 사각형은 서로 합동입니다. 각 ㅁㅇㅅ은 몇 도인지 구해 보세요.

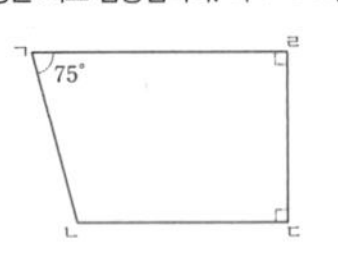

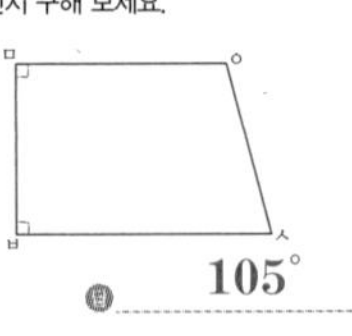

답 105°

개념 피드백:
• 사각형의 네 각의 크기의 합은 360°입니다.
• 서로 합동인 두 도형에서 각각의 대응각의 크기는 서로 같습니다.

✤ 각 ㅁㅇㅅ의 대응각은 각 ㄷㄴㄱ이고, 사각형 ㄱㄴㄷㄹ에서 네 각의 크기의 합은 360°입니다.
➔ (각 ㅁㅇㅅ)=(각 ㄷㄴㄱ)$=360°-90°-90°-75°=105°$

2-1 두 삼각형은 서로 합동입니다. 각 ㅁㄷㄹ은 몇 도인지 구해 보세요.

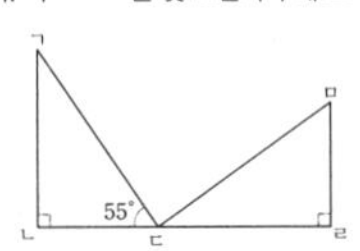

✤ 각 ㅁㄷㄹ의 대응각은 각 ㄷㄱㄴ이고, (35°)
삼각형 ㄱㄴㄷ에서 세 각의 크기의 합은 180°입니다.
➔ (각 ㅁㄷㄹ)=(각 ㄷㄱㄴ)$=180°-90°-55°=35°$

2-2 삼각형 ㄱㄴㄷ과 삼각형 ㄹㄷㄴ은 서로 합동입니다. 각 ㄹㄴㄷ은 몇 도인지 구해 보세요.

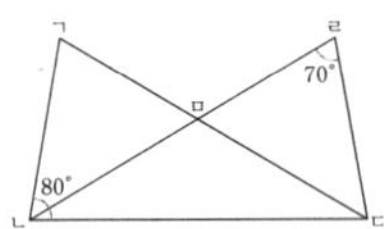

✤ 각 ㄹㄷㄴ의 대응각은 각 ㄱㄴㄷ이므로 (30°)
(각 ㄹㄷㄴ)=(각 ㄱㄴㄷ)=80°이고,
삼각형 ㄹㄴㄷ에서 세 각의 크기의 합은 180°입니다.
➔ (각 ㄹㄴㄷ)$=180°-70°-80°=30°$

1주 교과서

3단계 교과서 실력 다지기

정답과 풀이 p.6

선대칭도형도 되고 점대칭도형도 되는 도형 찾기

3 선대칭도형도 되고 점대칭도형도 되는 도형을 모두 찾아 기호를 써 보세요.

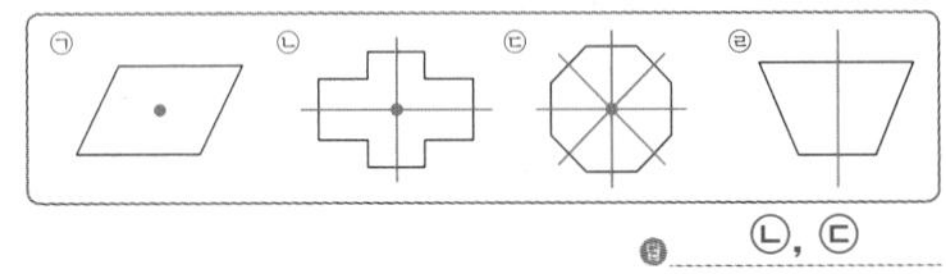

답 ㉡, ㉢

개념 피드백:
• 선대칭도형: 한 직선을 따라 접었을 때 완전히 겹치는 도형
• 점대칭도형: 어떤 점을 중심으로 180° 돌렸을 때 처음 도형과 완전히 겹치는 도형

✤ 선대칭도형: ㉡, ㉢, ㉣
점대칭도형: ㉠, ㉡, ㉢
➔ 선대칭도형도 되고 점대칭도형도 되는 도형은 ㉡, ㉢입니다.

3-1 선대칭도형도 되고 점대칭도형도 되는 알파벳을 모두 찾아 써 보세요.

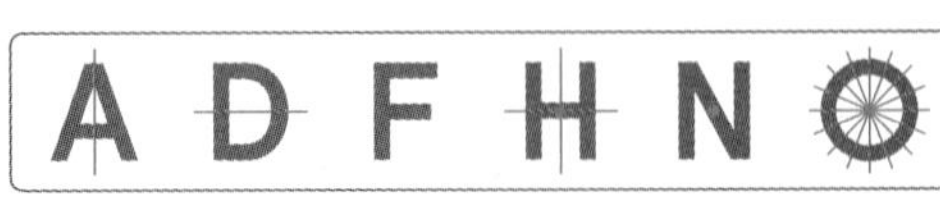

(H, O)

✤ 선대칭도형이 되는 알파벳: A, D, H, O
점대칭도형이 되는 알파벳: H, N, O
➔ 선대칭도형도 되고 점대칭도형도 되는 알파벳은 H, O입니다.

3-2 선대칭도형도 되고 점대칭도형도 되는 도형을 모두 찾아 기호를 써 보세요.

㉠ 정삼각형 ㉡ 정사각형
㉢ 평행사변형 ㉣ 마름모

✤ 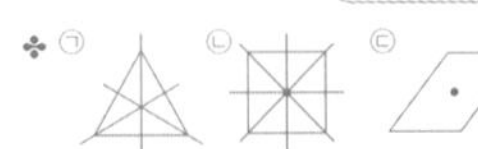 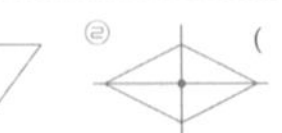 (㉡, ㉣)

선대칭도형은 ㉠, ㉡, ㉣이고, 점대칭도형은 ㉡, ㉢, ㉣입니다. ➔ ㉡, ㉣

선대칭도형의 대칭축 찾기

4 다음 도형은 선대칭도형입니다. 대칭축을 모두 그려 보세요.

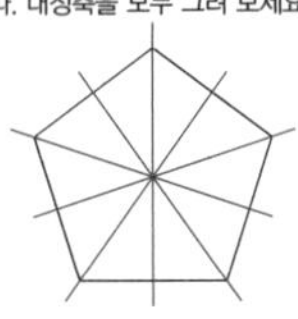

개념 피드백: 도형이 완전히 겹치도록 접을 수 있는 직선을 선대칭도형의 대칭축이라고 합니다.

4-1 다음 도형은 선대칭도형입니다. 대칭축의 수가 많은 것부터 차례로 기호를 써 보세요.

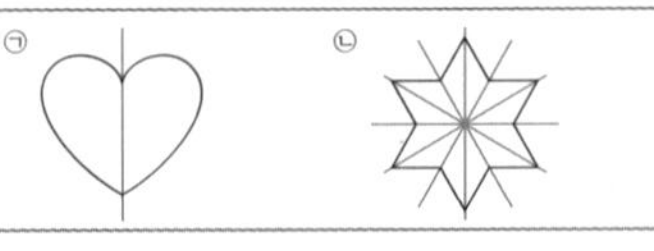

(㉡, ㉢, ㉠)

✤ ㉠ 1개, ㉡ 6개, ㉢ 4개
$6>4>1$이므로 대칭축의 수가 많은 것부터 차례로 쓰면 ㉡, ㉢, ㉠입니다.

4-2 다음 도형은 선대칭도형입니다. 대칭축의 수가 다른 하나를 찾아 기호를 써 보세요.

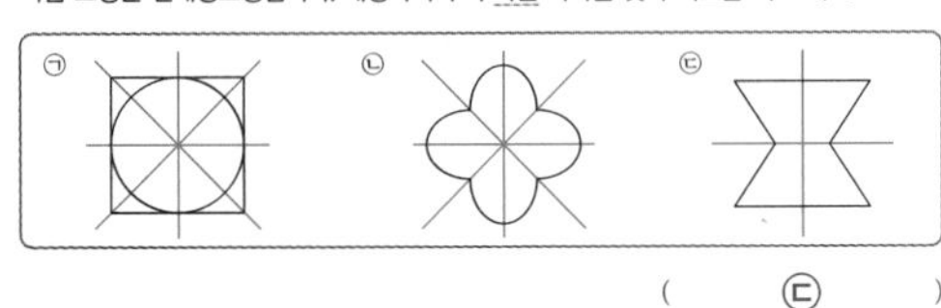

(㉢)

✤ ㉠ 4개, ㉡ 4개, ㉢ 2개

1주 교과서

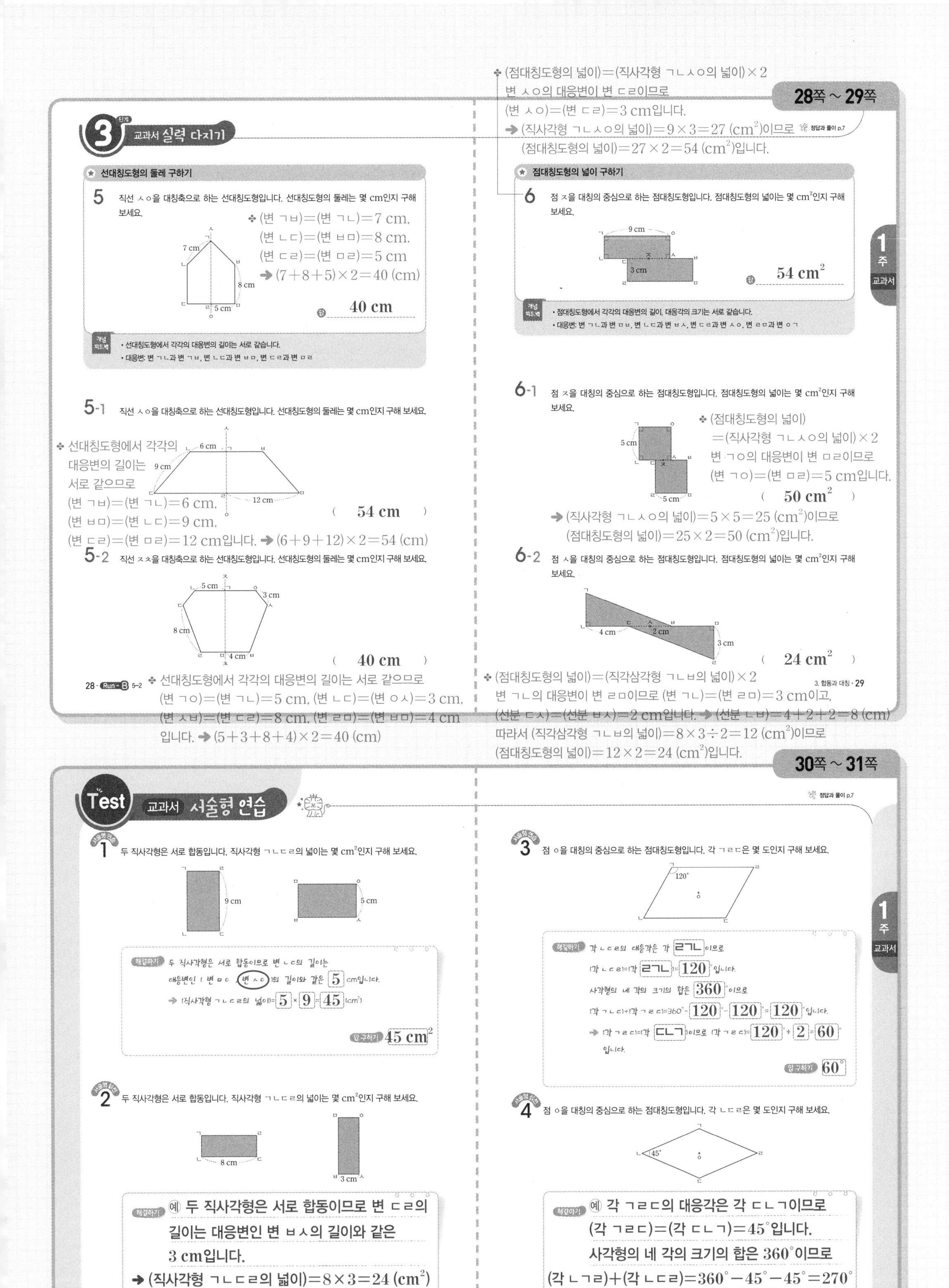

28쪽 ~ 29쪽

정답과 풀이 p.7

3단계 교과서 실력 다지기

선대칭도형의 둘레 구하기

5 직선 ㅅㅇ을 대칭축으로 하는 선대칭도형입니다. 선대칭도형의 둘레는 몇 cm인지 구해 보세요.

7 cm, 8 cm, 5 cm

❖ (변 ㄱㅂ)=(변 ㄱㄴ)=7 cm,
(변 ㄴㄷ)=(변 ㅂㅁ)=8 cm,
(변 ㄷㄹ)=(변 ㅁㄹ)=5 cm
➔ (7+8+5)×2=40 (cm)

답 40 cm

개념 피드백
- 선대칭도형에서 각각의 대응변의 길이는 서로 같습니다.
- 대응변: 변 ㄱㄴ과 변 ㄱㅂ, 변 ㄴㄷ과 변 ㅂㅁ, 변 ㄷㄹ과 변 ㅁㄹ

5-1 직선 ㅅㅇ을 대칭축으로 하는 선대칭도형입니다. 선대칭도형의 둘레는 몇 cm인지 구해 보세요.

6 cm, 9 cm, 12 cm

(54 cm)

❖ 선대칭도형에서 각각의 대응변의 길이는 서로 같으므로
(변 ㄱㅂ)=(변 ㄱㄴ)=6 cm,
(변 ㅂㅁ)=(변 ㄴㄷ)=9 cm,
(변 ㄷㄹ)=(변 ㅁㄹ)=12 cm입니다. ➔ (6+9+12)×2=54 (cm)

5-2 직선 ㅈㅊ을 대칭축으로 하는 선대칭도형입니다. 선대칭도형의 둘레는 몇 cm인지 구해 보세요.

5 cm, 3 cm, 8 cm, 4 cm

(40 cm)

❖ 선대칭도형에서 각각의 대응변의 길이는 서로 같으므로
(변 ㄱㅇ)=(변 ㄱㄴ)=5 cm, (변 ㄴㄷ)=(변 ㅇㅅ)=3 cm,
(변 ㅅㅂ)=(변 ㄷㄹ)=8 cm, (변 ㄹㅁ)=(변 ㅂㅁ)=4 cm
입니다. ➔ (5+3+8+4)×2=40 (cm)

점대칭도형의 넓이 구하기

6 점 ㅈ을 대칭의 중심으로 하는 점대칭도형입니다. 점대칭도형의 넓이는 몇 cm^2인지 구해 보세요.

9 cm, 3 cm

답 54 cm^2

❖ (점대칭도형의 넓이)=(직사각형 ㄱㄴㅅㅇ의 넓이)×2
변 ㅅㅇ의 대응변이 변 ㄷㄹ이므로
(변 ㅅㅇ)=(변 ㄷㄹ)=3 cm입니다.
➔ (직사각형 ㄱㄴㅅㅇ의 넓이)=9×3=27 (cm^2)이므로
(점대칭도형의 넓이)=27×2=54 (cm^2)입니다.

개념 피드백
- 점대칭도형에서 각각의 대응변의 길이, 대응각의 크기는 서로 같습니다.
- 대응변: 변 ㄱㄴ과 변 ㅁㅂ, 변 ㄴㄷ과 변 ㅂㅅ, 변 ㄷㄹ과 변 ㅅㅇ, 변 ㄹㅁ과 변 ㅇㄱ

6-1 점 ㅈ을 대칭의 중심으로 하는 점대칭도형입니다. 점대칭도형의 넓이는 몇 cm^2인지 구해 보세요.

5 cm, 5 cm

(50 cm^2)

❖ (점대칭도형의 넓이)
=(직사각형 ㄱㄴㅅㅇ의 넓이)×2
변 ㄱㅇ의 대응변이 변 ㅁㄹ이므로
(변 ㄱㅇ)=(변 ㅁㄹ)=5 cm입니다.
➔ (직사각형 ㄱㄴㅅㅇ의 넓이)=5×5=25 (cm^2)이므로
(점대칭도형의 넓이)=25×2=50 (cm^2)입니다.

6-2 점 ㅅ을 대칭의 중심으로 하는 점대칭도형입니다. 점대칭도형의 넓이는 몇 cm^2인지 구해 보세요.

4 cm, 2 cm, 3 cm

(24 cm^2)

❖ (점대칭도형의 넓이)=(직각삼각형 ㄱㄴㅂ의 넓이)×2
변 ㄱㄴ의 대응변이 변 ㄹㅁ이므로 (변 ㄱㄴ)=(변 ㄹㅁ)=3 cm이고,
(선분 ㄷㅅ)=(선분 ㅂㅅ)=2 cm입니다. ➔ (선분 ㄴㅂ)=4+2+2=8 (cm)
따라서 (직각삼각형 ㄱㄴㅂ의 넓이)=8×3÷2=12 (cm^2)이므로
(점대칭도형의 넓이)=12×2=24 (cm^2)입니다.

28 · Run-B 5-2　　3. 합동과 대칭 · 29

30쪽 ~ 31쪽

정답과 풀이 p.7

Test 교과서 서술형 연습

1 두 직사각형은 서로 합동입니다. 직사각형 ㄱㄴㄷㄹ의 넓이는 몇 cm^2인지 구해 보세요.

9 cm, 5 cm

해결하기 두 직사각형은 서로 합동이므로 변 ㄴㄷ의 길이는 대응변인 (변 ㅁㅇ , 변 ㅅㅇ)의 길이와 같은 5 cm입니다.
➔ (직사각형 ㄱㄴㄷㄹ의 넓이)=5×9=45 (cm^2)

답 구하기 45 cm^2

2 두 직사각형은 서로 합동입니다. 직사각형 ㄱㄴㄷㄹ의 넓이는 몇 cm^2인지 구해 보세요.

8 cm, 3 cm

해결하기 예 두 직사각형은 서로 합동이므로 변 ㄷㄹ의 길이는 대응변인 변 ㅂㅅ의 길이와 같은 3 cm입니다.
➔ (직사각형 ㄱㄴㄷㄹ의 넓이)=8×3=24 (cm^2)

답 구하기 24 cm^2

3 점 ㅇ을 대칭의 중심으로 하는 점대칭도형입니다. 각 ㄱㄹㄷ은 몇 도인지 구해 보세요.

120°

해결하기 각 ㄴㄷㄹ의 대응각은 각 ㄹㄱㄴ이므로
(각 ㄴㄷㄹ)=(각 ㄹㄱㄴ)=120°입니다.
사각형의 네 각의 크기의 합은 360°이므로
(각 ㄱㄴㄷ)+(각 ㄱㄹㄷ)=360°−120°−120°=120°입니다.
➔ (각 ㄱㄹㄷ)=(각 ㄷㄴㄱ)이므로 (각 ㄱㄹㄷ)=120°÷2=60°입니다.

답 구하기 60°

4 점 ㅇ을 대칭의 중심으로 하는 점대칭도형입니다. 각 ㄴㄷㄹ은 몇 도인지 구해 보세요.

45°

해결하기 예 각 ㄱㄹㄷ의 대응각은 각 ㄷㄴㄱ이므로
(각 ㄱㄹㄷ)=(각 ㄷㄴㄱ)=45°입니다.
사각형의 네 각의 크기의 합은 360°이므로
(각 ㄴㄱㄹ)+(각 ㄴㄷㄹ)=360°−45°−45°=270°입니다.
➔ (각 ㄴㄷㄹ)=(각 ㄹㄱㄴ)이므로
(각 ㄴㄷㄹ)=270°÷2=135°입니다.

답 구하기 135°

30 · Run-B 5-2　　3. 합동과 대칭 · 31

32쪽 ~ 33쪽

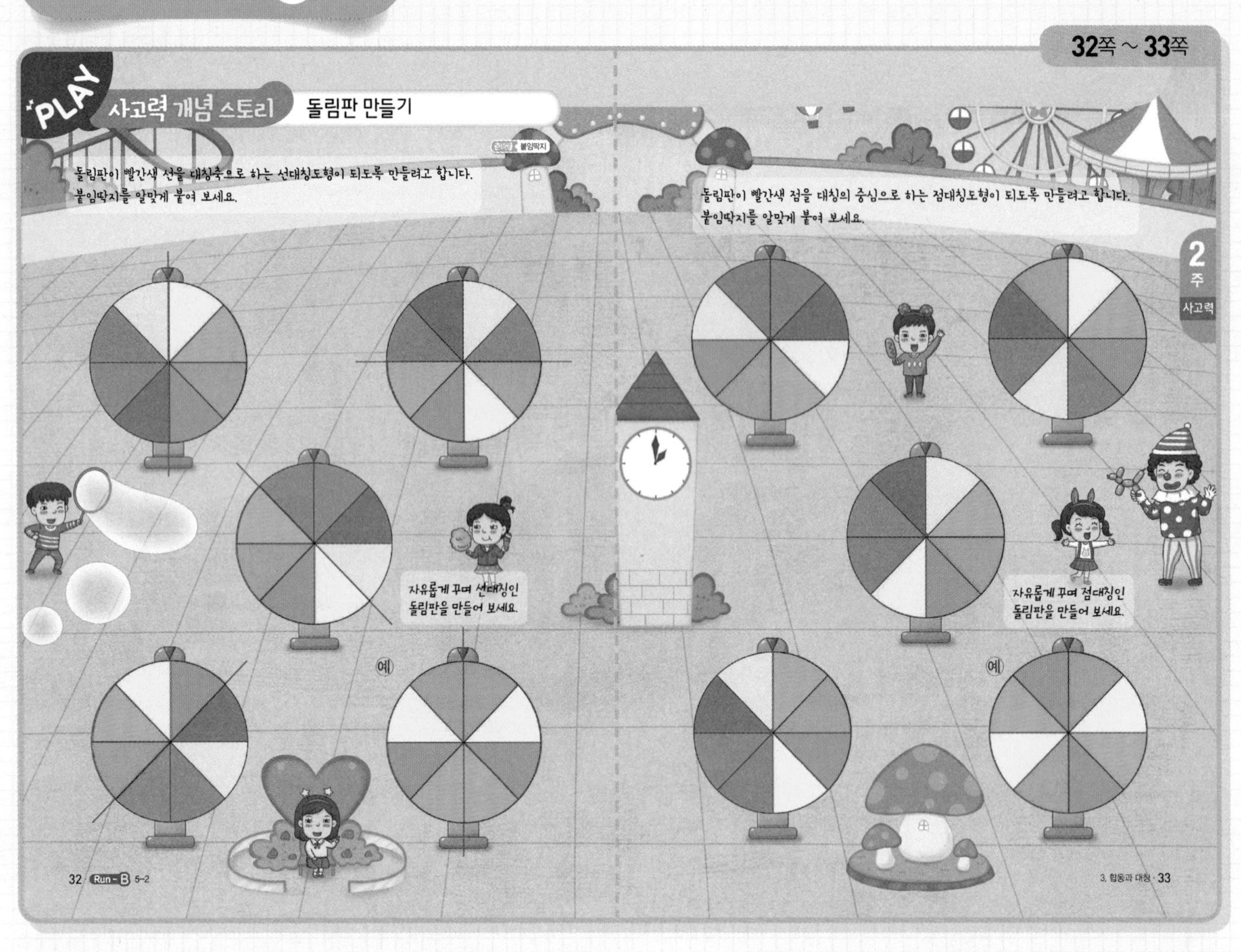

PLAY
사고력 개념 스토리
돌림판 만들기
붙임딱지
돌림판이 빨간색 선을 대칭축으로 하는 선대칭도형이 되도록 만들려고 합니다.
붙임딱지를 알맞게 붙여 보세요.
돌림판이 빨간색 점을 대칭의 중심으로 하는 점대칭도형이 되도록 만들려고 합니다.
붙임딱지를 알맞게 붙여 보세요.
자유롭게 꾸며 선대칭인
돌림판을 만들어 보세요.
자유롭게 꾸며 점대칭인
돌림판을 만들어 보세요.
예
예
2 주
사고력
32 Run-B 5-2
3. 합동과 대칭 · 33

34쪽 ~ 35쪽

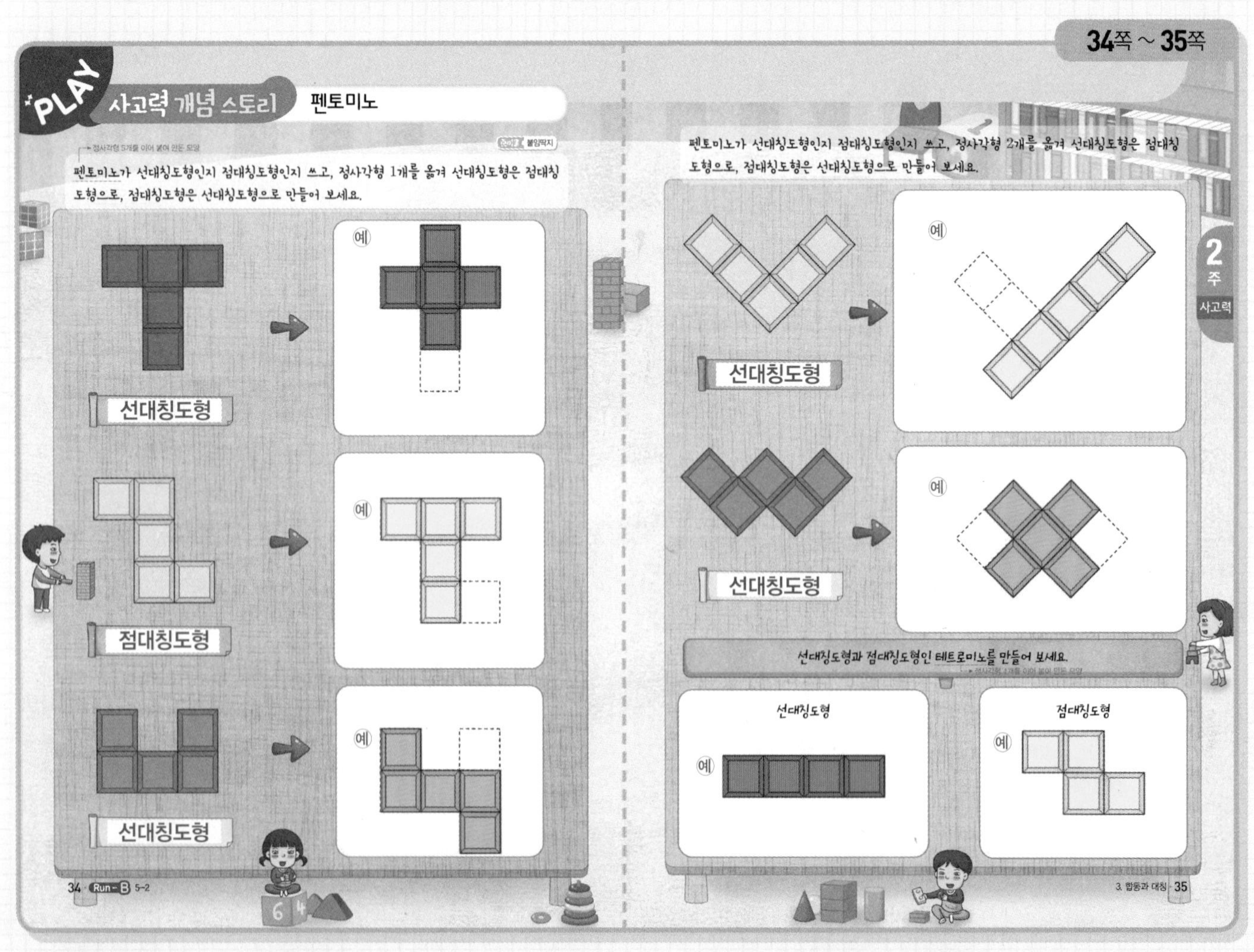

PLAY
사고력 개념 스토리
펜토미노
붙임딱지
펜토미노가 선대칭도형인지 점대칭도형인지 쓰고, 정사각형 1개를 옮겨 선대칭도형은 점대칭
도형으로, 점대칭도형은 선대칭도형으로 만들어 보세요.
선대칭도형
점대칭도형
선대칭도형
예
펜토미노가 선대칭도형인지 점대칭도형인지 쓰고, 정사각형 2개를 옮겨 선대칭도형은 점대칭
도형으로, 점대칭도형은 선대칭도형으로 만들어 보세요.
선대칭도형
선대칭도형
선대칭도형과 점대칭도형인 테트로미노를 만들어 보세요.
선대칭도형
점대칭도형
2 주
사고력
34 Run-B 5-2
3. 합동과 대칭 · 35

정답과 풀이 p.9

1단계 교과 사고력 잡기

1 사람 모양, 네모 모양, 별 모양 쿠키는 모두 선대칭입니다. 대칭축이 가장 적은 쿠키를 찾아 보세요.

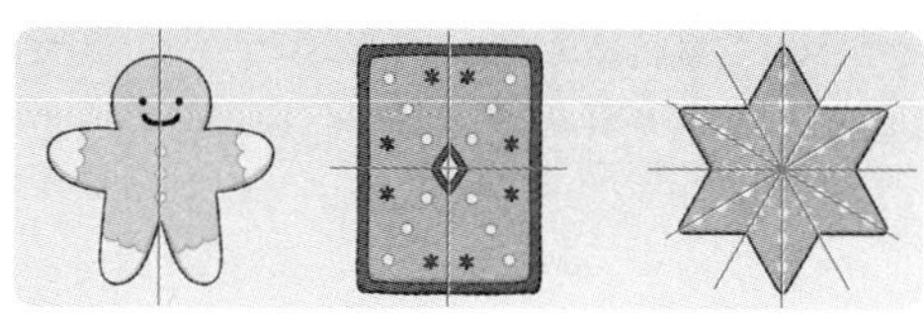

❶ 사람 모양 쿠키의 대칭축은 몇 개일까요?

(1개)

✤ 도형이 완전히 겹치도록 접을 수 있는 직선을 대칭축이라고 합니다.

❷ 네모 모양 쿠키의 대칭축은 몇 개일까요?

(2개)

❸ 별 모양 쿠키의 대칭축은 몇 개일까요?

(6개)

❹ 대칭축이 가장 적은 쿠키는 어떤 모양 쿠키인지 써 보세요.

(사람 모양)

✤ $1<2<6$이므로 대칭축이 가장 적은 쿠키는 사람 모양 쿠키입니다.

2 점대칭도형인 숫자 중에서 3개를 골라 한 번씩만 사용하여 가장 큰 세 자리 수와 가장 작은 세 자리 수를 각각 만들어 보세요.

0 1 2 3 4
5 6 7 8 9

❶ 점대칭도형인 숫자를 모두 찾아 써 보세요.

(0, 1, 2, 5, 8)

✤ 어떤 점을 중심으로 180° 돌렸을 때 처음 도형과 완전히 겹치는 도형을 찾습니다.

❷ ❶에서 쓴 숫자 중에서 3개를 골라 한 번씩만 사용하여 가장 큰 세 자리 수를 만들어 보세요.

(852)

✤ $8>5>2>1>0$
➔ 가장 큰 세 자리 수: 852

❸ ❶에서 쓴 숫자 중에서 3개를 골라 한 번씩만 사용하여 가장 작은 세 자리 수를 만들어 보세요.

(102)

✤ $0<1<2<5<8$
➔ 가장 작은 세 자리 수: 102

정답과 풀이 p.9

1단계 교과 사고력 잡기

3 석진이가 만든 연입니다. 연의 몸통 부분은 점 ㅇ을 대칭의 중심으로 하는 점대칭도형입니다. 두 대각선의 길이의 합이 40 cm일 때 선분 ㄷㅇ은 몇 cm인지 구해 보세요.

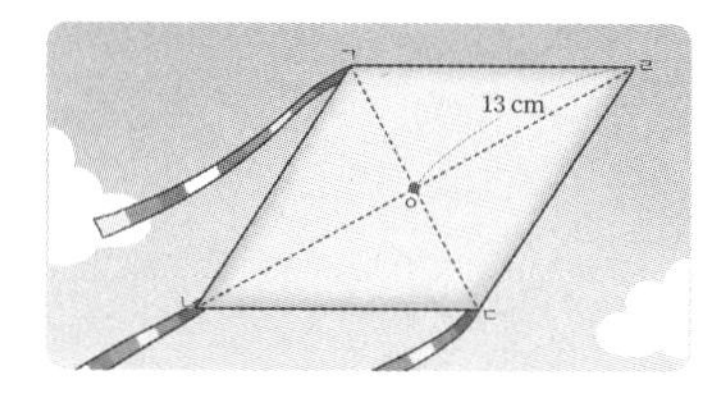

❶ 선분 ㄴㄹ은 몇 cm일까요?

(26 cm)

✤ 대칭의 중심은 대응점끼리 이은 선분을 둘로 똑같이 나누므로 (선분 ㄴㅇ)=(선분 ㄹㅇ)=13 cm입니다.
➔ (선분 ㄴㄹ)=13+13=26 (cm)

❷ 선분 ㄱㄷ은 몇 cm일까요?

(14 cm)

✤ (선분 ㄱㄷ)=40−26=14 (cm)

❸ 선분 ㄷㅇ은 몇 cm인지 구해 보세요.

(7 cm)

✤ (선분 ㄱㅇ)=(선분 ㄷㅇ)이므로 (선분 ㄷㅇ)=14÷2=7 (cm)입니다.

4 지민이는 직사각형 모양 색종이로 종이접기를 하고 있습니다. 접은 모양에서 삼각형 ㄱㅁㅂ과 삼각형 ㄷㅁㄹ은 서로 합동입니다. 지민이가 사용한 직사각형 모양 색종이의 넓이는 몇 cm^2인지 구해 보세요.

❶ 삼각형 ㄱㅁㅂ과 삼각형 ㄷㅁㄹ의 대응변을 모두 찾아 짝 지어 써 보세요.

(변 ㄱㅂ과 변 ㄷㄹ, 변 ㅁㅂ과 변 ㅁㄹ, 변 ㄱㅁ과 변 ㄷㅁ)

❷ 변 ㄷㄹ은 몇 cm일까요?

(4 cm)

✤ 변 ㄷㄹ의 대응변은 변 ㄱㅂ이므로 (변 ㄷㄹ)=(변 ㄱㅂ)=4 cm입니다.

❸ 변 ㄱㄹ은 몇 cm일까요?

(8 cm)

✤ 변 ㅁㄹ의 대응변은 변 ㅁㅂ이므로 (변 ㅁㄹ)=(변 ㅁㅂ)=3 cm입니다.
➔ (변 ㄱㄹ)=(변 ㄱㅁ)+(변 ㅁㄹ)=5+3=8 (cm)

❹ 색종이의 넓이는 몇 cm^2인지 구해 보세요.

($32\ cm^2$)

✤ (직사각형 ㄱㄴㄷㄹ의 넓이) =(변 ㄱㄹ)×(변 ㄷㄹ)=8×4=32 (cm^2)

2단계 교과 사고력 확장

정답과 풀이 p.10

1 성냥개비로 여러 가지 모양을 만들었습니다. 주어진 모양에 성냥개비 4개를 놓아 합동인 도형 여러 개로 만들려고 합니다. 성냥개비를 어떻게 놓아야 할지 붙임딱지를 붙여 보세요.

① 합동인 사각형 5개 만들기

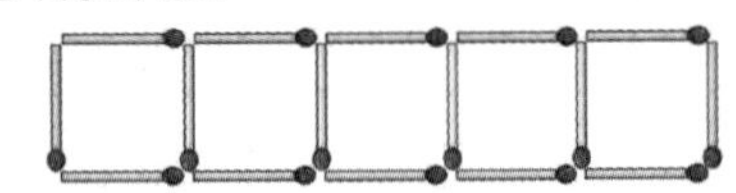

✤ 모양과 크기가 같은 사각형 5개가 되도록 붙임딱지를 붙입니다.

② 합동인 삼각형 5개 만들기

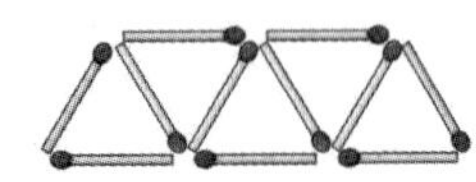

✤ 모양과 크기가 같은 삼각형 5개가 되도록 붙임딱지를 붙입니다.

③ 합동인 사각형 5개 만들기

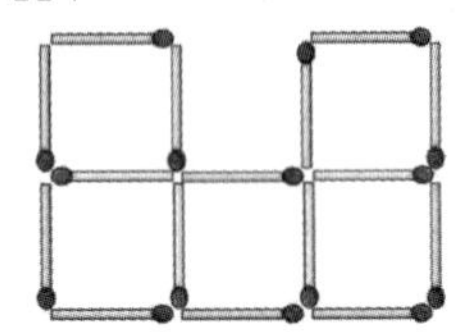

✤ 모양과 크기가 같은 사각형 5개가 되도록 붙임딱지를 붙입니다.

2 선대칭도형을 완성해 보고, 완성한 선대칭도형이 나타내는 수나 글자를 써 보세요.

①

(130)

✤ 선을 따라 접었을 때 완전히 겹치도록 선대칭도형을 완성합니다.

②

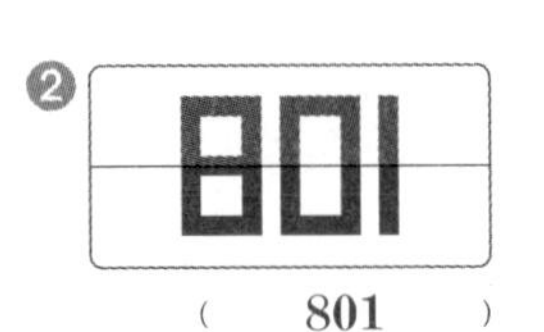

(801)

③

이 단어는 '예약하다'라는 뜻도 있어요.

(BOOK)

참고 BOOK 1. 책 2. 예약하다

④

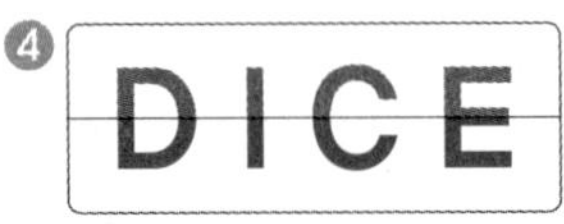

이 단어는 '주사위'라는 뜻이에요.

(DICE)

참고 DICE 1. 주사위 2. 주사위 게임 3. 깍뚝썰기를 하다

2단계 교과 사고력 확장

정답과 풀이 p.10

3 합동인 직사각형 4개를 겹치지 않게 붙여서 오른쪽과 같은 모양을 만들었습니다. 사각형 ㄱㄴㄷㄹ의 둘레는 몇 cm인지 구해 보세요.

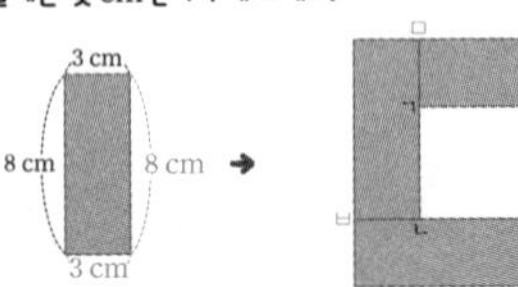

① 선분 ㄱㄴ은 몇 cm일까요?

(5 cm)

✤ 서로 합동인 두 도형에서 각각의 대응변의 길이는 서로 같으므로 (선분 ㅁㄴ)$=8$ cm, (선분 ㅁㄱ)$=3$ cm입니다.
→ (선분 ㄱㄴ)$=8-3=5$ (cm)

② 선분 ㄴㄷ은 몇 cm일까요?

(5 cm)

✤ (선분 ㅂㄷ)$=8$ cm, (선분 ㅂㄴ)$=3$ cm
→ (선분 ㄴㄷ)$=8-3=5$ (cm)

③ 사각형 ㄱㄴㄷㄹ의 둘레는 몇 cm인지 구해 보세요.

(20 cm)

✤ (선분 ㄷㄹ)$=$(선분 ㄹㄱ)$=5$ cm
→ (사각형 ㄱㄴㄷㄹ의 둘레)$=5\times4=20$ (cm)

4 직선 ㄱㄴ을 대칭축으로 하는 선대칭도형과 점 ㅇ을 대칭의 중심으로 하는 점대칭도형을 각각 완성했을 때, 완성한 선대칭도형과 점대칭도형의 겹치는 부분의 넓이는 몇 cm^2인지 구해 보세요.

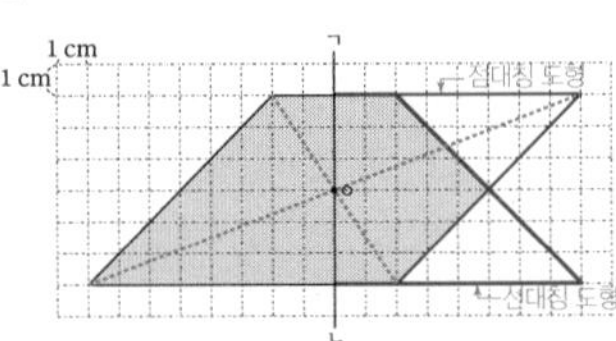

① 직선 ㄱㄴ을 대칭축으로 하는 선대칭도형을 완성해 보세요.

✤ 대응점을 찾아 표시한 후 차례로 이어 선대칭도형이 되도록 그립니다.

② 점 ㅇ을 대칭의 중심으로 하는 점대칭도형을 완성해 보세요.

✤ 대응점을 찾아 표시한 후 차례로 이어 점대칭도형이 되도록 그립니다.

③ 완성한 선대칭도형과 점대칭도형이 겹치는 부분을 색칠해 보세요.

④ ③에서 색칠한 부분의 넓이는 몇 cm^2인지 구해 보세요.

(51 cm^2)

✤ 윗변의 길이가 4 cm, 아랫변의 길이가 10 cm, 높이가 6 cm인 사다리꼴과 밑변의 길이가 6 cm, 높이가 3 cm인 삼각형으로 나누어 넓이를 구할 수 있습니다.
→ $(4+10)\times6\div2+6\times3\div2=42+9=51$ (cm^2)

3 단계 교과 사고력 완성

정답과 풀이 p.11

평가 영역 ☑개념 이해력 □개념 응용력 □창의력 □문제 해결력

1 칠교판의 조각 중 서로 합동인 것을 모두 찾아 기호를 써 보세요.

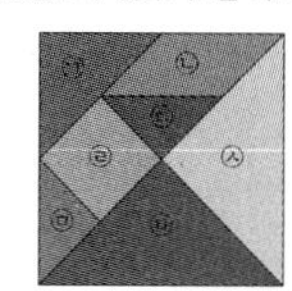

(㉢과 ㉤, ㉥과 ㉦)

✤ 포개었을 때 완전히 겹치는 두 조각을 찾으면 ㉢과 ㉤, ㉥과 ㉦입니다.

평가 영역 □개념 이해력 □개념 응용력 ☑창의력 □문제 해결력

2 점대칭도형을 각각 완성하여 영어 단어를 만들어 보세요.

(1) SON

참고 SON: 아들

(2) HIS

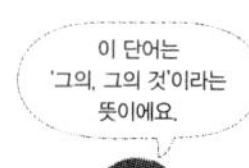

이 단어는
'그의, 그의 것'이라는
뜻이에요.

✤ 점을 중심으로 180° 돌렸을 때 처음 도형과 완전히 겹치도록 그립니다.

평가 영역 □개념 이해력 □개념 응용력 ☑창의력 □문제 해결력

3 정사각형 칸에 색칠하여 무늬를 꾸미려고 합니다. 무늬가 점대칭이 되도록 작은 정사각형 2칸을 더 색칠해 보세요. (단, 4개의 도형이 서로 다른 모양이어야 합니다.)

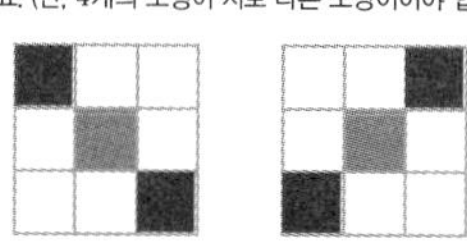

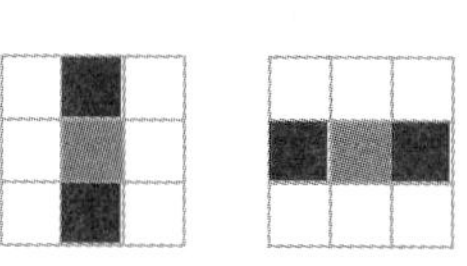

✤ 어떤 점을 중심으로 180° 돌렸을 때 처음 도형과 완전히 겹치도록 색칠합니다.

평가 영역 □개념 이해력 □개념 응용력 □창의력 ☑문제 해결력

4 직선 가를 대칭축으로 하는 선대칭도형을 그린 다음 만들어진 도형으로 다시 직선 나를 대칭축으로 하는 선대칭도형을 그려 보세요. 또, 완성된 도형의 둘레는 몇 cm인지 구해 보세요.

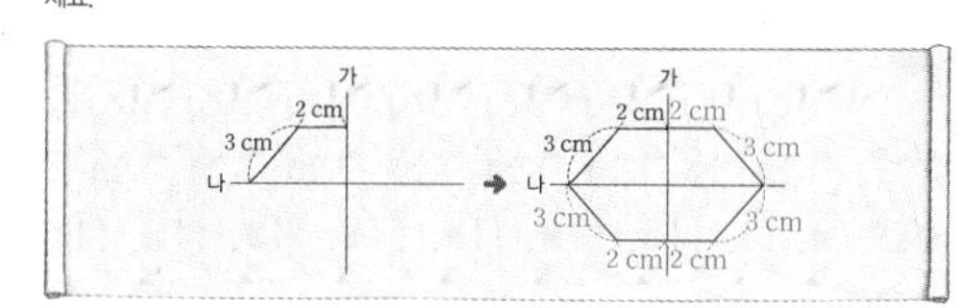

(20 cm)

✤ 선대칭도형에서 각각의 대응변의 길이는 서로 같습니다.
만들어진 도형은 2 cm인 선분이 4개, 3 cm인 선분이 4개이므로
(도형의 둘레)$=2\times4+3\times4=8+12=20$ (cm)입니다.

Test 종합평가 3. 합동과 대칭

맞은 개수

정답과 풀이 p.11

1 서로 합동인 두 도형을 찾아 기호를 써 보세요.

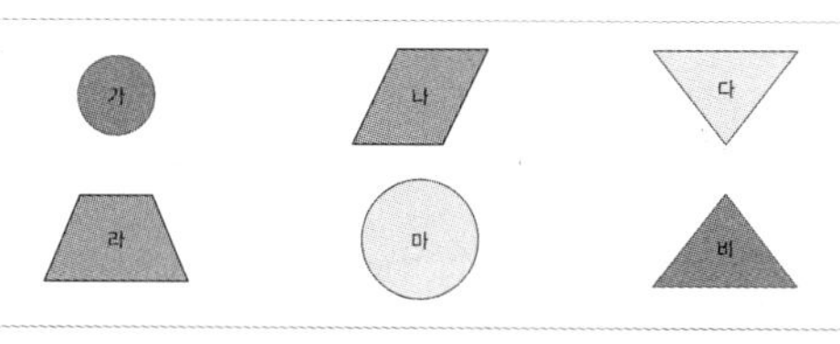

(다와 바)

✤ 모양과 크기가 같아서 포개었을 때 완전히 겹치는 두 도형을 찾으면 다와 바입니다.

2 선대칭도형의 대칭축을 잘못 그린 것을 찾아 기호를 써 보세요.

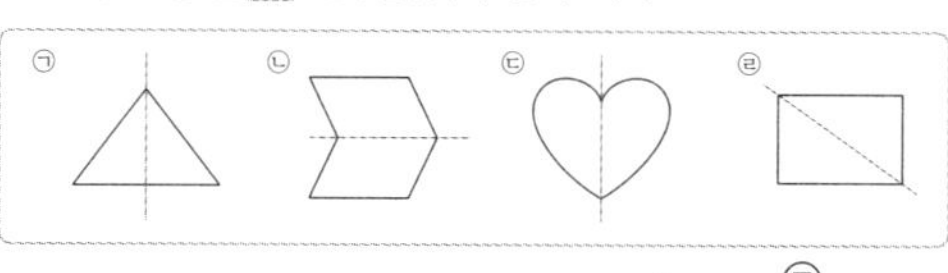

(㉣)

✤ ㉣ 주어진 선을 따라 접으면 도형이 완전히 겹치지 않습니다.

3 두 도형은 서로 합동입니다. □ 안에 알맞은 수를 써넣으세요.

→ 대응점은 3쌍, 대응변은 3쌍, 대응각은 3쌍입니다.

✤ 두 도형은 서로 합동인 삼각형이므로 대응점, 대응변, 대응각이 각각 3쌍입니다.

4 다음 도형은 선대칭도형입니다. 대칭축을 모두 그려 보세요.

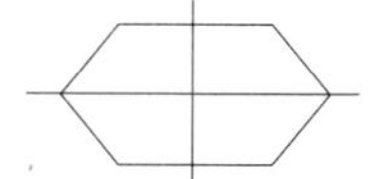

✤ 직선을 따라 접었을 때 완전히 겹치도록 직선을 그립니다.

5 점대칭도형이 아닌 것을 찾아 기호를 써 보세요.

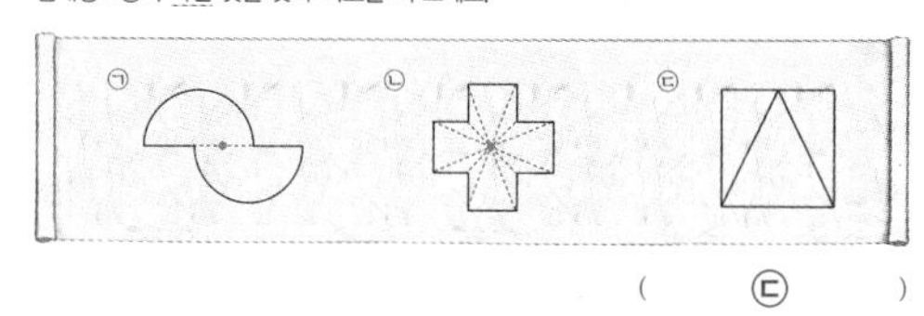

(㉢)

✤ 어떤 점을 중심으로 180° 돌렸을 때 처음 도형과 완전히 겹치는 도형은 ㉠, ㉡입니다.

6 점대칭도형에서 대칭의 중심을 찾아 점(·)으로 표시해 보세요.

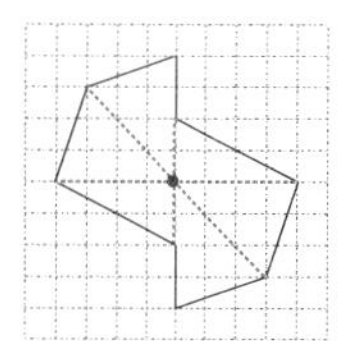

✤ 대응점끼리 이은 선분들이 만나는 점을 찾습니다.

Test 종합평가 3. 합동과 대칭

정답과 풀이 p.12

7 두 원은 합동이 아닙니다. 그 이유를 설명해 보세요.

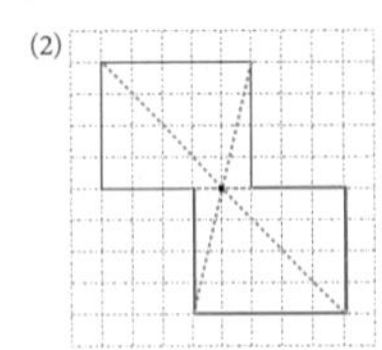

이유 예) 두 원은 모양은 같지만 크기가 다르므로 합동이 아닙니다.

8 선대칭도형과 점대칭도형을 각각 완성해 보세요.

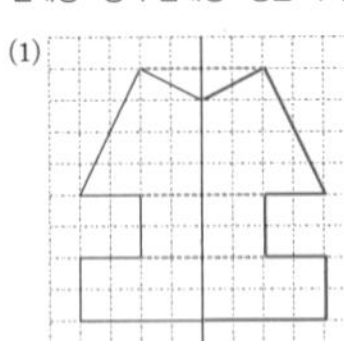

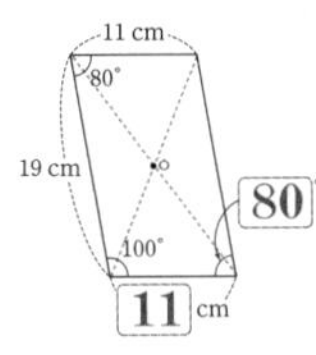

✤ 대응점을 찾아 표시한 후 차례로 이어 선대칭도형과 점대칭도형을 각각 완성합니다.

9 점 ㅇ을 대칭의 중심으로 하는 점대칭도형입니다. □ 안에 알맞은 수를 써넣으세요.

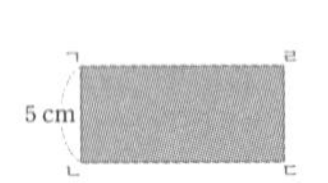

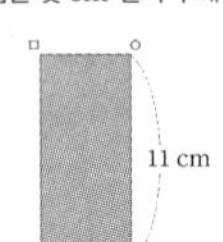

80, 11

✤ 점대칭도형에서 각각의 대응변의 길이와 대응각의 크기는 서로 같습니다.

10 두 삼각형은 서로 합동입니다. 삼각형 ㄹㅁㅂ의 둘레는 몇 cm인지 구해 보세요.

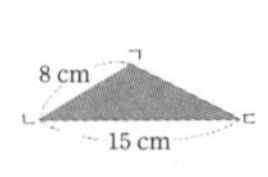

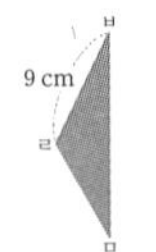

(32 cm)

✤ 서로 합동인 두 도형에서 각각의 대응변의 길이는 서로 같습니다.
(변 ㄹㅁ)=(변 ㄱㄴ)=8 cm, (변 ㅁㅂ)=(변 ㄴㄷ)=15 cm
➔ $8+15+9=32$ (cm)

11 선대칭도형도 되고 점대칭도형도 되는 자음자를 모두 찾아 써 보세요.

(ㅁ, ㅍ)

✤ 선대칭도형: ㄱ, ㅁ, ㅈ, ㅍ, ㅎ
점대칭도형: ㄹ, ㅁ, ㅍ
➔ 선대칭도형도 되고 점대칭도형도 되는 자음자는 ㅁ, ㅍ입니다.

12 직선 ㅁㅂ을 대칭축으로 하는 선대칭도형입니다. 각 ㄹㄴㄷ은 몇 도인지 구해 보세요.

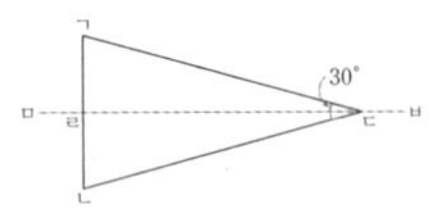

(75°)

✤ 선대칭도형에서 각각의 대응각의 크기는 서로 같고, 삼각형의 세 각의 크기의 합은 180°이므로
(각 ㄹㄱㄷ)=(각 ㄹㄴㄷ)=$(180^\circ-30^\circ)\div2=75^\circ$입니다.

Test 종합평가 3. 합동과 대칭

정답과 풀이 p.12

13 두 직사각형은 서로 합동입니다. 두 직사각형의 넓이의 합은 몇 cm²인지 구해 보세요.

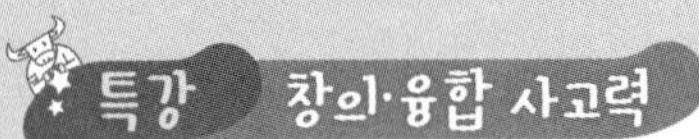

(110 cm^2)

✤ 변 ㄴㄷ의 대응변은 변 ㅅㅇ이므로
(변 ㄴㄷ)=(변 ㅅㅇ)=11 cm입니다.
➔ 직사각형 한 개의 넓이는 $11\times5=55\ (\text{cm}^2)$이므로 두 직사각형의 넓이의 합은 $55\times2=110\ (\text{cm}^2)$입니다.

14 점 ㅇ을 대칭의 중심으로 하는 점대칭도형입니다. 선분 ㄱㄹ은 몇 cm인지 구해 보세요.

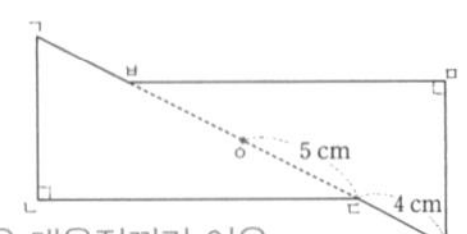

(18 cm)

✤ 대칭의 중심은 대응점끼리 이은 선분을 둘로 똑같이 나누므로
(선분 ㅂㅇ)=(선분 ㄷㅇ)=5 cm입니다. 변 ㄱㅂ의 대응변은 변 ㄹㄷ이므로 (변 ㄱㅂ)=(변 ㄹㄷ)=4 cm입니다.
➔ (선분 ㄱㄹ)=$4+5+5+4=18$ (cm)

15 직사각형 모양의 종이를 그림과 같이 접었습니다. 각 ㄷㄹㅂ은 몇 도인지 구해 보세요.

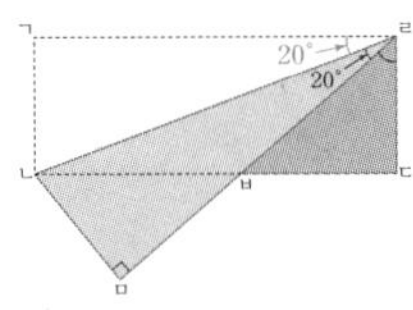

(50°)

✤ 삼각형 ㄱㄴㄹ과 삼각형 ㅁㄴㄹ은 서로 합동입니다. 각 ㄱㄹㄴ의 대응각은 각 ㅁㄹㄴ이므로
(각 ㄱㄹㄴ)=(각 ㅁㄹㄴ)=20°입니다.
➔ (각 ㄷㄹㅂ)=$90^\circ-20^\circ-20^\circ=50^\circ$

특강 창의·융합 사고력

1 미술 시간에 색종이를 반으로 접은 다음 그림을 그리고 그림을 따라 잘라 내어 모양 만들기를 하고 있습니다. 물음에 답하세요.

(1) 알맞은 말에 ○표 하세요.

잘라 내어 펼친 모양은 모두 ((선대칭도형), 점대칭도형)입니다.

(2) 잘라 내어 펼친 모양이 바르지 않은 것을 찾아 기호를 써 보세요.

㉠  ㉡ 

(㉠)

✤ 잘라 내어 펼친 모양은 선대칭도형이므로 선대칭도형이 아닌 것을 찾으면 ㉠입니다.

(3) 잘라 내어 펼친 모양을 바르게 그려 보세요.

✤ 잘라 내어 펼친 모양이 접은 선을 대칭축으로 하는 선대칭도형이 되도록 그립니다.

4 소수의 곱셈

소수의 덧셈과 곱셈

서희가 케이크를 만들기 위해 여러 가지 재료를 준비했습니다.
재료의 양을 알아볼 수 있는 방법에는 어떤 것이 있을까요?

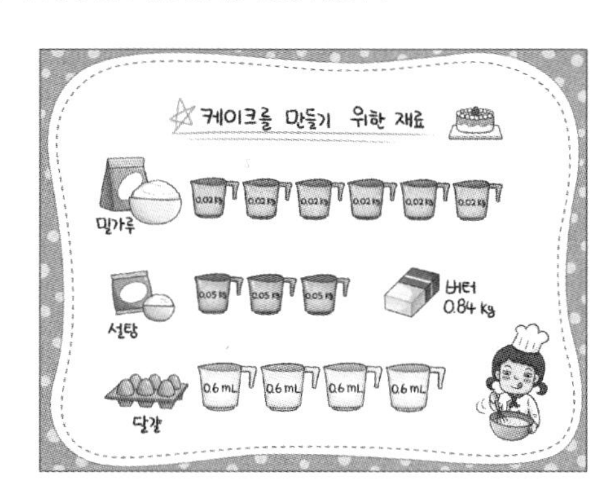

- 필요한 밀가루의 양
  $0.02\times6=0.02+0.02+0.02+0.02+0.02+0.02=0.12$ (kg)
- 필요한 설탕의 양
  $0.05\times3=0.05+0.05+0.05=0.15$ (kg)
- 필요한 달걀의 양
  $0.6\times4=0.6+0.6+0.6+0.6=2.4$ (mL)

→ 필요한 밀가루의 양은 $0.02\times6=0.12$ (kg)이고, 설탕의 양은 $0.05\times3=0.15$ (kg)이고, 달걀의 양은 $0.6\times4=2.4$ (mL)입니다.

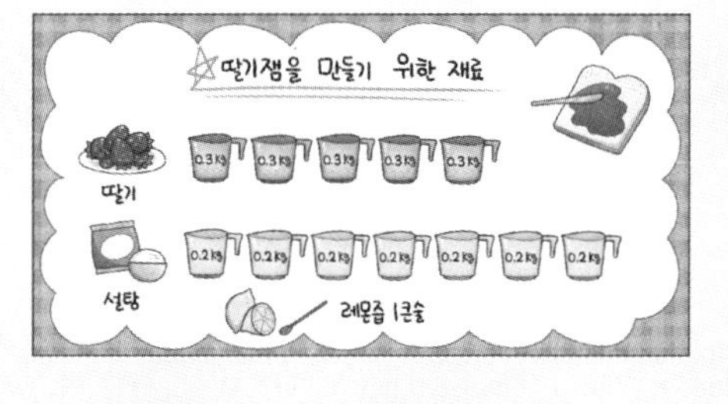

딸기잼을 만들기 위해 필요한 재료의 양을 구해 보세요.

$0.3\times5=0.3+\boxed{0.3}+\boxed{0.3}+\boxed{0.3}+\boxed{0.3}=\boxed{1.5}$

$0.2\times7=0.2+\boxed{0.2}+\boxed{0.2}+\boxed{0.2}+\boxed{0.2}+\boxed{0.2}+\boxed{0.2}=\boxed{1.4}$

→ 필요한 딸기의 양은 $0.3\times5=\boxed{1.5}$ (kg)이고,
설탕의 양은 $0.2\times7=\boxed{1.4}$ (kg)입니다.

우유는 모두 몇 L인지 소수의 덧셈을 이용하여 계산해 보세요.

0.35 L 0.35 L 0.35 L

$0.35\times3=0.35+0.35+0.35=1.05$

→ 우유는 모두 $0.35\times3=\boxed{1.05}$ (L)입니다.

1단계 교과서 개념 잡기

개념 1 (1보다 작은 소수)×(자연수)

- 0.4×6을 여러 가지 방법으로 계산하기

방법 1 덧셈식으로 계산하기

0.4×6은 0.4를 6번 더한 것과 같으므로
$0.4\times6=0.4+0.4+0.4+0.4+0.4+0.4=2.4$입니다.

방법 2 0.1의 개수로 계산하기

0.1 0.1 0.1 0.1 0.1 0.1 0.1 0.1 0.1 0.1 0.1 0.1
0.1 0.1 0.1 0.1 0.1 0.1 0.1 0.1 0.1 0.1 0.1 0.1

$0.4\times6=0.1\times4\times6=0.1\times24=2.4$

0.1이 모두 24개이므로 $0.4\times6=2.4$입니다.

방법 3 분수의 곱셈으로 계산하기

$0.4\times6=\frac{4}{10}\times6=\frac{4\times6}{10}=\frac{24}{10}=2.4$

0.4를 $\frac{4}{10}$로 나타내어 계산합니다.

개념 2 (1보다 큰 소수)×(자연수)

- 1.2×3을 여러 가지 방법으로 계산하기

방법 1 덧셈식으로 계산하기

1.2×3은 1.2를 3번 더한 것과 같으므로
$1.2\times3=1.2+1.2+1.2=3.6$입니다.

방법 2 0.1의 개수로 계산하기

$1.2\times3=0.1\times12\times3=0.1\times36=3.6$

0.1이 모두 36개이므로 $1.2\times3=3.6$입니다.

방법 3 분수의 곱셈으로 계산하기

$1.2\times3=\frac{12}{10}\times3=\frac{12\times3}{10}=\frac{36}{10}=3.6$

1.2를 $\frac{12}{10}$로 나타내어 계산합니다.

자연수의 곱으로 계산한 다음 소수점을 찍어줄 수도 있어.
$12\times3=36$
→ $1.2\times3=3.6$

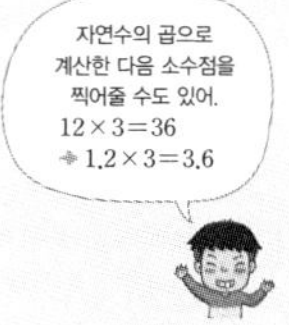

개념 확인 문제

정답과 풀이 p.13

1-1 분수의 곱셈으로 계산하려고 합니다. □ 안에 알맞은 수를 써넣으세요.

(1) $0.9\times7=\frac{\boxed{9}}{10}\times7=\frac{\boxed{9}\times\boxed{7}}{10}=\frac{\boxed{63}}{10}=\boxed{6.3}$ ← 소수로 나타냅니다.

(2) $0.21\times3=\frac{\boxed{21}}{100}\times3=\frac{\boxed{21}\times\boxed{3}}{100}=\frac{\boxed{63}}{100}=\boxed{0.63}$

✤ (1) 0.9를 $\frac{9}{10}$로 나타내어 계산합니다.
(2) 0.21을 $\frac{21}{100}$로 나타내어 계산합니다.

1-2 계산해 보세요.

(1) $0.6\times4=2.4$ (2) $0.8\times6=4.8$

(3) $0.13\times2=0.26$ (4) $0.54\times7=3.78$

2-1 1.3×5를 0.1의 개수로 계산하려고 합니다. □ 안에 알맞은 수를 써넣으세요.

1.3은 0.1이 $\boxed{13}$개입니다.
1.3×5는 0.1이 $\boxed{13}\times5=\boxed{65}$(개)입니다.
0.1이 모두 $\boxed{65}$개이므로 $1.3\times5=\boxed{6.5}$입니다.

✤ $1.3\times5=0.1\times13\times5=0.1\times65=6.5$

2-2 계산해 보세요.

(1) $1.4\times3=4.2$ (2) $2.7\times4=10.8$

(3) $3.89\times5=19.45$ (4) $1.46\times6=8.76$

3주 교과서

56쪽 ~ 57쪽

1단계 교과서 개념 잡기

개념 3 (자연수)×(1보다 작은 소수)

- 2×0.6을 여러 가지 방법으로 계산하기

방법 1 그림으로 계산하기

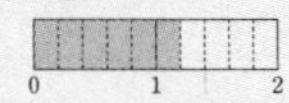

한 칸의 크기는 2의 0.1, 2의 $\frac{1}{10}$이고, 두 칸의 크기는 2의 0.2, 2의 $\frac{2}{10}$입니다.

여섯 칸의 크기는 2의 0.6, 2의 $\frac{6}{10}$이므로 $\frac{12}{10}$가 되어 1.2입니다.

방법 2 분수의 곱셈으로 계산하기

$2\times0.6=2\times\frac{6}{10}=\frac{2\times6}{10}=\frac{12}{10}=1.2$

방법 3 자연수의 곱셈으로 계산하기

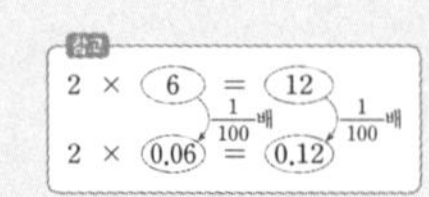

2 × 6 = 12 → 2 × 0.6 = 1.2 ($\frac{1}{10}$배, $\frac{1}{10}$배)

참고 2 × 6 = 12 → 2 × 0.06 = 0.12 ($\frac{1}{100}$배, $\frac{1}{100}$배)

개념 4 (자연수)×(1보다 큰 소수)

- 3×1.2를 여러 가지 방법으로 계산하기

방법 1 그림으로 계산하기

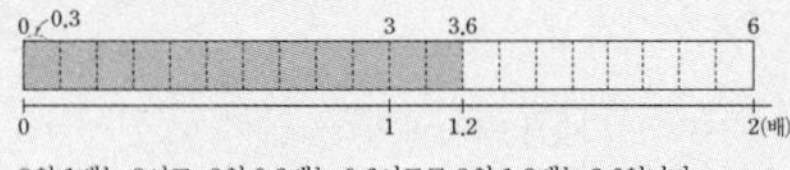

3의 1배는 3이고, 3의 0.2배는 0.6이므로 3의 1.2배는 3.6입니다.

방법 2 분수의 곱셈으로 계산하기

$3\times1.2=3\times\frac{12}{10}=\frac{3\times12}{10}=\frac{36}{10}=3.6$

방법 3 자연수의 곱셈으로 계산하기

3 × 12 = 36 → 3 × 1.2 = 3.6 ($\frac{1}{10}$배, $\frac{1}{10}$배)

곱하는 수가 1/10배이면
계산 결과가 1/10배야.

개념 확인 문제

정답과 풀이 p.14

3-1 그림을 보고 □ 안에 알맞은 수를 써넣으세요.

(1) 한 칸의 크기는 4의 0.1, 4의 $\frac{1}{10}$이고, 두 칸의 크기는 4의 0.2, 4의 $\frac{2}{10}$입니다.

일곱 칸의 크기는 4의 **0.7**, 4의 $\frac{7}{10}$이므로 $\frac{28}{10}$이/가 되어 **2.8**입니다.

(2) $4\times0.7=4\times\frac{7}{10}=\frac{4\times7}{10}=\frac{28}{10}=2.8$

3-2 자연수의 곱셈으로 계산하려고 합니다. □ 안에 알맞은 수를 써넣으세요.

(1) 6 × 9 = **54** → 6 × 0.9 = **5.4** ($\frac{1}{10}$배, $\frac{1}{10}$배)

(2) 2 × 34 = **68** → 2 × 0.34 = **0.68** ($\frac{1}{100}$배, $\frac{1}{100}$배)

✤ 곱하는 수가 $\frac{1}{10}$배, $\frac{1}{100}$배이면 계산 결과가 $\frac{1}{10}$배, $\frac{1}{100}$배입니다.

4-1 자연수의 곱셈으로 계산하려고 합니다. □ 안에 알맞은 수를 써넣으세요.

(1) 3×23=**69** → 3×2.3=**6.9**

(2) 6×15=**90** → 6×0.15=**0.9**

✤ (1) 곱하는 수가 23에서 2.3으로 $\frac{1}{10}$배이므로 계산 결과가 $\frac{1}{10}$배입니다.
(2) 곱하는 수가 15에서 0.15로 $\frac{1}{100}$배이므로 계산 결과가 $\frac{1}{100}$배입니다.

4-2 계산해 보세요.

(1) 3×1.7=**5.1**
(2) 4×1.3=**5.2**
(3) 8×0.26=**2.08**
(4) 19×0.15=**2.85**

3주 교과서

58쪽 ~ 59쪽

1단계 교과서 개념 잡기

개념 5 1보다 작은 소수끼리의 곱셈

- 0.7×0.5를 여러 가지 방법으로 계산하기

방법 1 그림으로 계산하기

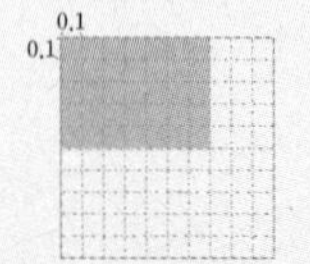

모눈종이의 가로를 0.7만큼, 세로를 0.5만큼 색칠하면 35칸이 색칠되는데 한 칸의 넓이가 0.01이므로 0.35입니다.

방법 2 분수의 곱셈으로 계산하기

$0.7\times0.5=\frac{7}{10}\times\frac{5}{10}=\frac{35}{100}=0.35$

방법 3 자연수의 곱셈으로 계산하기

7 × 5 = 35 → 0.7 × 0.5 = 0.35 ($\frac{1}{10}$배, $\frac{1}{10}$배, $\frac{1}{100}$배)

방법 4 소수의 크기를 생각하여 계산하기

7×5=35인데 0.7에 0.5를 곱하면 0.7보다 작은 값이 나와야 하므로 계산 결과는 0.35입니다.

개념 6 1보다 큰 소수끼리의 곱셈

- 1.3×1.4를 여러 가지 방법으로 계산하기

방법 1 그림으로 계산하기

모눈종이의 가로를 1.3만큼, 세로를 1.4만큼 색칠하면 182칸이 색칠되는데 한 칸의 넓이가 0.01이므로 1.82입니다.

방법 2 분수의 곱셈으로 계산하기

$1.3\times1.4=\frac{13}{10}\times\frac{14}{10}=\frac{182}{100}=1.82$

방법 3 자연수의 곱셈으로 계산하기

13 × 14 = 182 → 1.3 × 1.4 = 1.82 ($\frac{1}{10}$배, $\frac{1}{10}$배, $\frac{1}{100}$배)

방법 4 소수의 크기를 생각하여 계산하기

13×14=182인데 1.3에 1.4를 곱하면 1.3보다 큰 값이 나와야 하므로 계산 결과는 1.82입니다.

개념 확인 문제

정답과 풀이 p.14

5-1 0.3×0.7의 계산을 그림으로 알아보려고 합니다. □ 안에 알맞은 수를 써넣으세요.

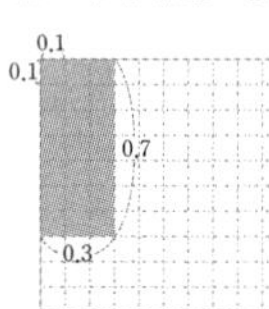

한 칸의 넓이가 0.01이고 색칠한 부분은 **21**칸이므로 색칠한 부분의 넓이는 **0.21**입니다.

→ 0.3×0.7=**0.21**

5-2 분수의 곱셈으로 계산하려고 합니다. □ 안에 알맞은 수를 써넣으세요.

(1) $0.5\times0.9=\frac{5}{10}\times\frac{9}{10}=\frac{45}{100}=0.45$

(2) $0.14\times0.6=\frac{14}{100}\times\frac{6}{10}=\frac{84}{1000}=0.084$

✤ (1) 0.5를 $\frac{5}{10}$, 0.9를 $\frac{9}{10}$로 나타내어 계산합니다.
(2) 0.14를 $\frac{14}{100}$, 0.6을 $\frac{6}{10}$으로 나타내어 계산합니다.

6-1 자연수의 곱셈으로 계산하려고 합니다. □ 안에 알맞은 수를 써넣으세요.

(1) 13 × 22 = **286** → 1.3 × 2.2 = **2.86** ($\frac{1}{10}$배, $\frac{1}{10}$배, $\frac{1}{100}$배)

(2) 35 × 17 = **595** → 3.5 × 1.7 = **5.95** ($\frac{1}{10}$배, $\frac{1}{10}$배, $\frac{1}{100}$배)

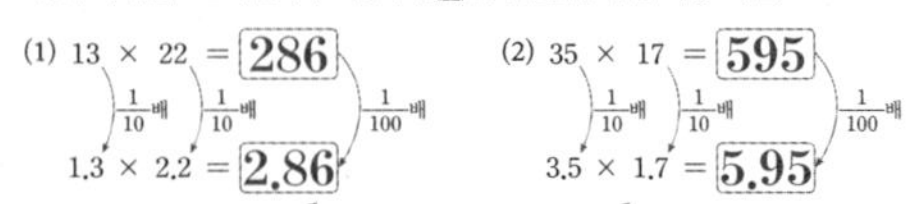

✤ 곱해지는 수가 $\frac{1}{10}$배, 곱하는 수가 $\frac{1}{10}$배가 되면 계산 결과는 $\frac{1}{10}\times\frac{1}{10}=\frac{1}{100}$(배)가 됩니다.

6-2 계산해 보세요.

(1) 6.4×1.3=**8.32**
(2) 2.3×3.6=**8.28**
(3) 4.7×2.81=**13.207**
(4) 1.9×3.45=**6.555**

3주 교과서

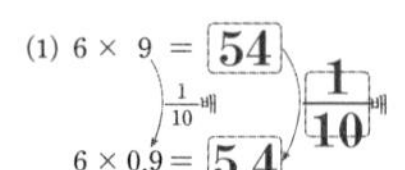

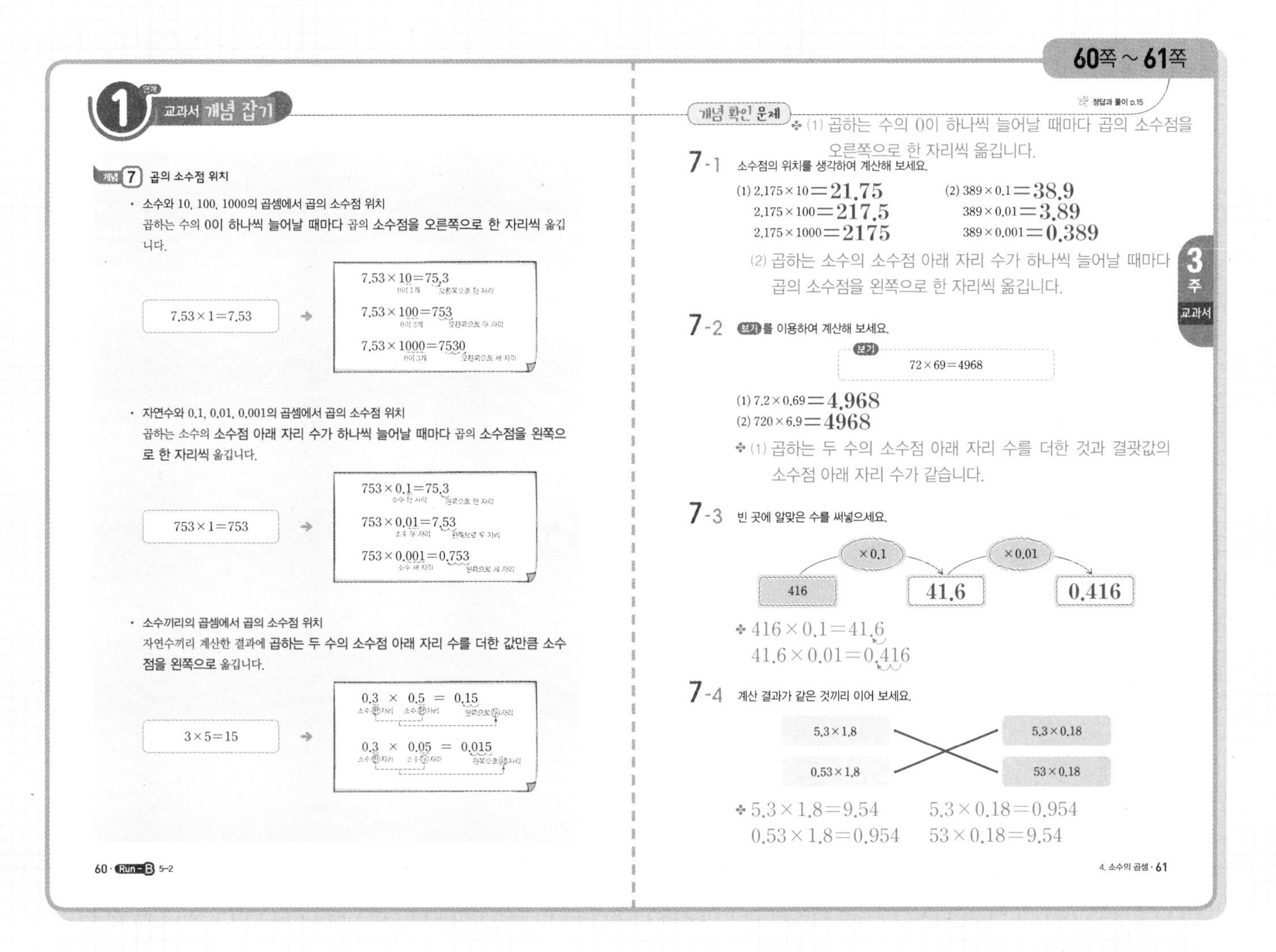

1단계 교과서 개념 잡기
개념 7 곱의 소수점 위치
• 소수와 10, 100, 1000의 곱셈에서 곱의 소수점 위치
곱하는 수의 0이 하나씩 늘어날 때마다 곱의 소수점을 오른쪽으로 한 자리씩 옮깁니다.
7.53×1=7.53
7.53×10=75.3
7.53×100=753
7.53×1000=7530
• 자연수와 0.1, 0.01, 0.001의 곱셈에서 곱의 소수점 위치
곱하는 소수의 소수점 아래 자리 수가 하나씩 늘어날 때마다 곱의 소수점을 왼쪽으로 한 자리씩 옮깁니다.
753×1=753
753×0.1=75.3
753×0.01=7.53
753×0.001=0.753
• 소수끼리의 곱셈에서 곱의 소수점 위치
자연수끼리 계산한 결과에 곱하는 두 수의 소수점 아래 자리 수를 더한 값만큼 소수점을 왼쪽으로 옮깁니다.
3×5=15
0.3 × 0.5 = 0.15
0.3 × 0.05 = 0.015
개념 확인 문제
✤ (1) 곱하는 수의 0이 하나씩 늘어날 때마다 곱의 소수점을 오른쪽으로 한 자리씩 옮깁니다.
7-1 소수점의 위치를 생각하여 계산해 보세요.
(1) 2.175×10=21.75
2.175×100=217.5
2.175×1000=2175
(2) 389×0.1=38.9
389×0.01=3.89
389×0.001=0.389
(2) 곱하는 소수의 소수점 아래 자리 수가 하나씩 늘어날 때마다 곱의 소수점을 왼쪽으로 한 자리씩 옮깁니다.
7-2 보기를 이용하여 계산해 보세요.
72×69=4968
(1) 7.2×0.69=4.968
(2) 720×6.9=4968
✤ (1) 곱하는 두 수의 소수점 아래 자리 수를 더한 것과 결괏값의 소수점 아래 자리 수가 같습니다.
7-3 빈 곳에 알맞은 수를 써넣으세요.
×0.1
×0.01
416
41.6
0.416
✤ 416×0.1=41.6
41.6×0.01=0.416
7-4 계산 결과가 같은 것끼리 이어 보세요.
5.3×1.8
0.53×1.8
5.3×0.18
53×0.18
✤ 5.3×1.8=9.54
0.53×1.8=0.954
5.3×0.18=0.954
53×0.18=9.54
60 · Run-B 5-2
4. 소수의 곱셈 · 61

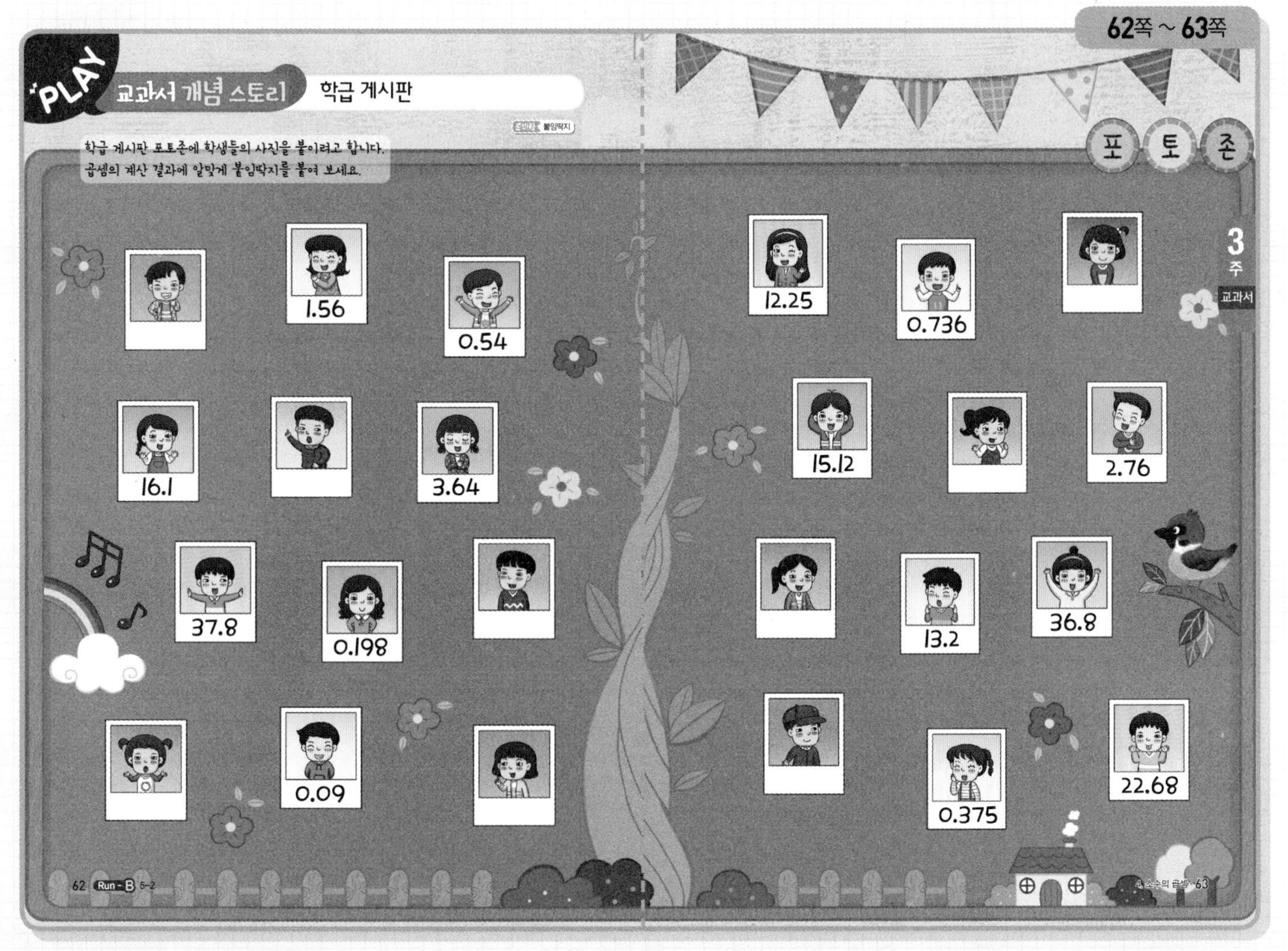

PLAY 교과서 개념 스토리 학급 게시판
학급 게시판 포토존에 학생들의 사진을 붙이려고 합니다.
곱셈의 계산 결과에 알맞게 붙임딱지를 붙여 보세요.
포 토 존
1.56
0.54
16.1
3.64
37.8
0.198
0.09
12.25
0.736
15.12
2.76
13.2
36.8
0.375
22.68
62 Run-B 5-2
4. 소수의 곱셈 · 63

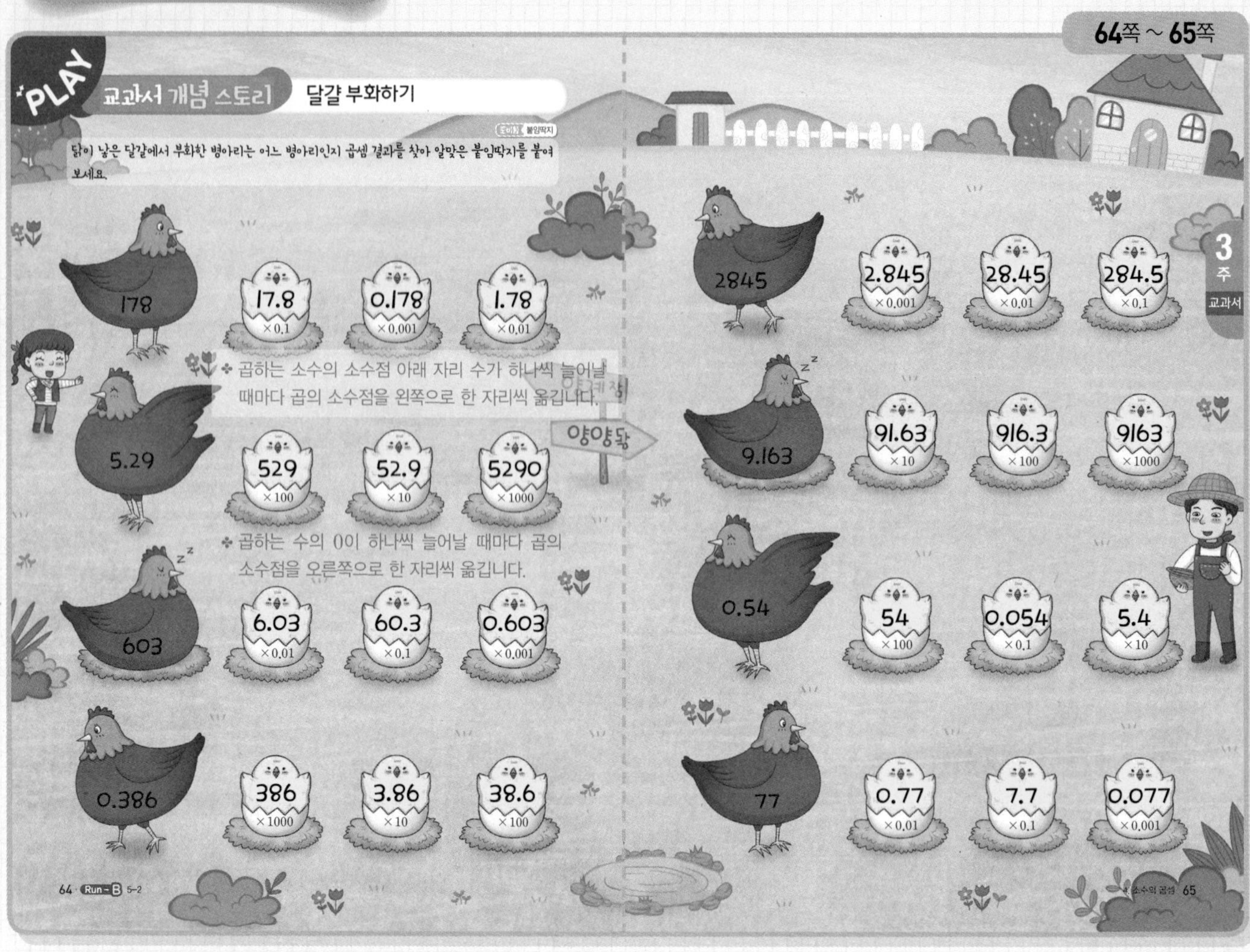

64쪽 ~ 65쪽

PLAY 교과서 개념 스토리 달걀 부화하기

닭이 낳은 달걀에서 부화한 병아리는 어느 병아리인지 곱셈 결과를 찾아 알맞은 붙임딱지를 붙여 보세요.

닭	병아리		
178	17.8 (×0.1)	0.178 (×0.001)	1.78 (×0.01)
5.29	529 (×100)	52.9 (×10)	5290 (×1000)
603	6.03 (×0.01)	60.3 (×0.1)	0.603 (×0.001)
0.386	386 (×1000)	3.86 (×10)	38.6 (×100)
2845	2.845 (×0.001)	28.45 (×0.01)	284.5 (×0.1)
9.163	91.63 (×10)	916.3 (×100)	9163 (×1000)
0.54	54 (×100)	0.054 (×0.1)	5.4 (×10)
77	0.77 (×0.01)	7.7 (×0.1)	0.077 (×0.001)

✤ 곱하는 소수의 소수점 아래 자리 수가 하나씩 늘어날 때마다 곱의 소수점을 왼쪽으로 한 자리씩 옮깁니다.

✤ 곱하는 수의 0이 하나씩 늘어날 때마다 곱의 소수점을 오른쪽으로 한 자리씩 옮깁니다.

64 · Run - B 5-2 4. 소수의 곱셈 · 65

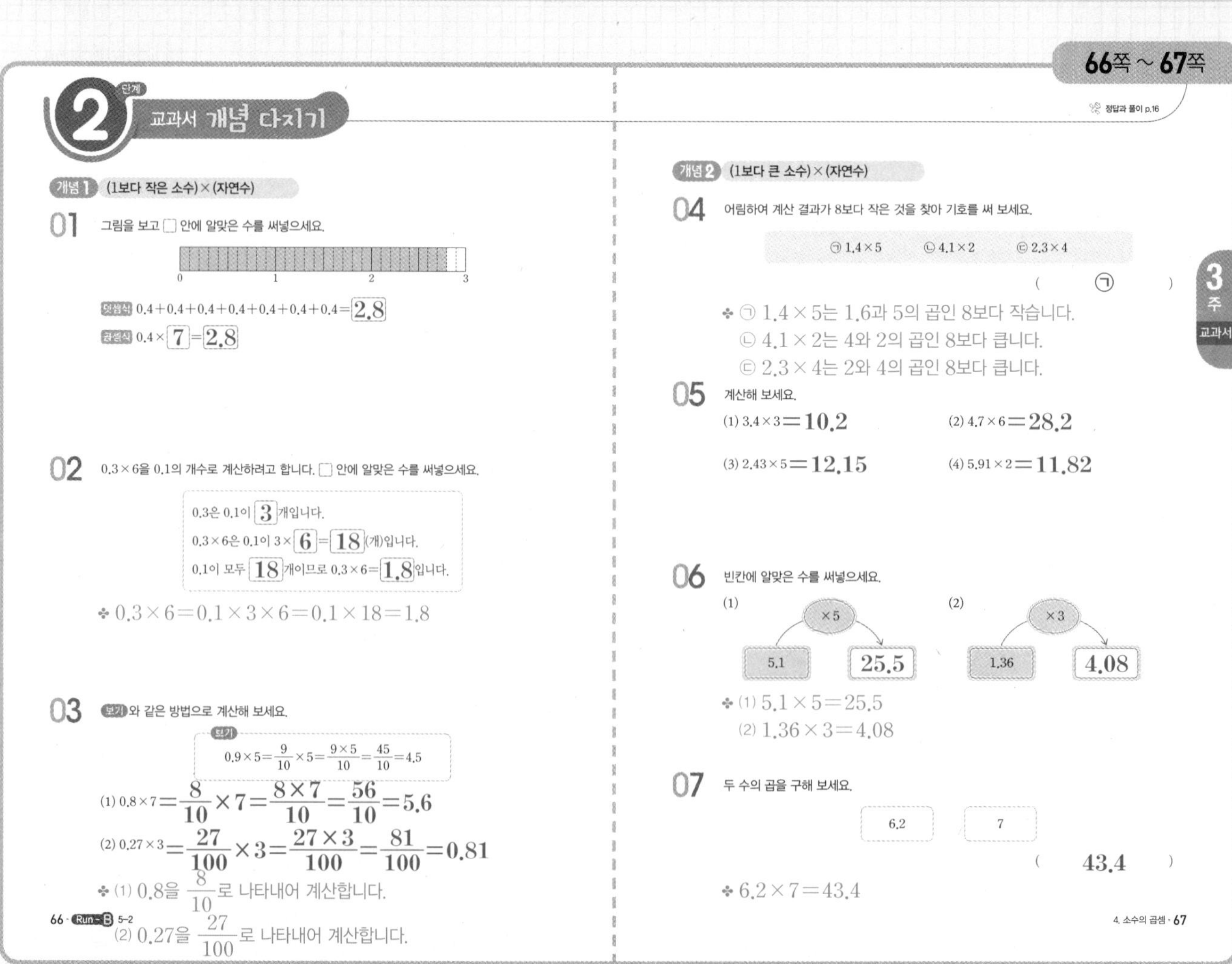

66쪽 ~ 67쪽

2단계 교과서 개념 다지기

정답과 풀이 p.16

개념 1 (1보다 작은 소수)×(자연수)

01 그림을 보고 □ 안에 알맞은 수를 써넣으세요.

덧셈식 0.4+0.4+0.4+0.4+0.4+0.4+0.4=2.8

곱셈식 0.4×7=2.8

02 0.3×6을 0.1의 개수로 계산하려고 합니다. □ 안에 알맞은 수를 써넣으세요.

0.3은 0.1이 3개입니다.
0.3×6은 0.1이 3×6=18(개)입니다.
0.1이 모두 18개이므로 0.3×6=1.8입니다.

✤ $0.3\times6=0.1\times3\times6=0.1\times18=1.8$

03 보기와 같은 방법으로 계산해 보세요.

보기 $0.9\times5=\frac{9}{10}\times5=\frac{9\times5}{10}=\frac{45}{10}=4.5$

(1) $0.8\times7=\frac{8}{10}\times7=\frac{8\times7}{10}=\frac{56}{10}=5.6$

(2) $0.27\times3=\frac{27}{100}\times3=\frac{27\times3}{100}=\frac{81}{100}=0.81$

✤ (1) 0.8을 $\frac{8}{10}$로 나타내어 계산합니다.
(2) 0.27을 $\frac{27}{100}$로 나타내어 계산합니다.

66 · Run - B 5-2

개념 2 (1보다 큰 소수)×(자연수)

04 어림하여 계산 결과가 8보다 작은 것을 찾아 기호를 써 보세요.

㉠ 1.4×5 ㉡ 4.1×2 ㉢ 2.3×4

(㉠)

✤ ㉠ 1.4×5는 1.6과 5의 곱인 8보다 작습니다.
㉡ 4.1×2는 4와 2의 곱인 8보다 큽니다.
㉢ 2.3×4는 2와 4의 곱인 8보다 큽니다.

05 계산해 보세요.

(1) 3.4×3=10.2 (2) 4.7×6=28.2

(3) 2.43×5=12.15 (4) 5.91×2=11.82

06 빈칸에 알맞은 수를 써넣으세요.

(1) 5.1 →(×5)→ 25.5 (2) 1.36 →(×3)→ 4.08

✤ (1) 5.1×5=25.5
(2) 1.36×3=4.08

07 두 수의 곱을 구해 보세요.

6.2 7

(43.4)

✤ 6.2×7=43.4

4. 소수의 곱셈 · 67

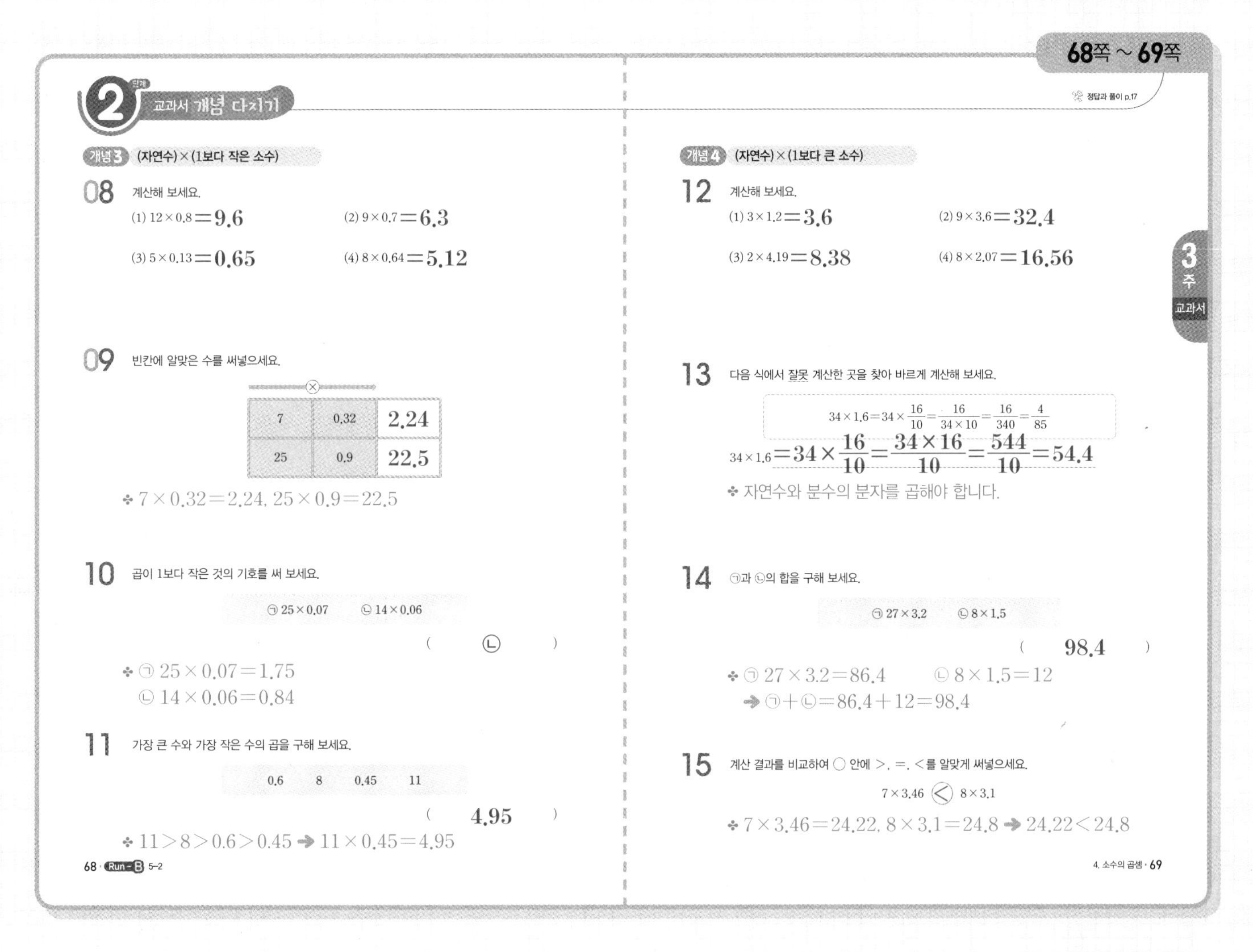

68쪽 ~ 69쪽

2단계 교과서 개념 다지기

정답과 풀이 p.17

개념 3 (자연수)×(1보다 작은 소수)

08 계산해 보세요.

(1) $12\times0.8=9.6$ (2) $9\times0.7=6.3$

(3) $5\times0.13=0.65$ (4) $8\times0.64=5.12$

09 빈칸에 알맞은 수를 써넣으세요.

7	0.32	2.24
25	0.9	22.5

✤ $7\times0.32=2.24$, $25\times0.9=22.5$

10 곱이 1보다 작은 것의 기호를 써 보세요.

㉠ 25×0.07 ㉡ 14×0.06

(㉡)

✤ ㉠ $25\times0.07=1.75$
㉡ $14\times0.06=0.84$

11 가장 큰 수와 가장 작은 수의 곱을 구해 보세요.

0.6 8 0.45 11

(4.95)

✤ $11>8>0.6>0.45$ ➜ $11\times0.45=4.95$

68 · Run-B 5-2

개념 4 (자연수)×(1보다 큰 소수)

12 계산해 보세요.

(1) $3\times1.2=3.6$ (2) $9\times3.6=32.4$

(3) $2\times4.19=8.38$ (4) $8\times2.07=16.56$

13 다음 식에서 잘못 계산한 곳을 찾아 바르게 계산해 보세요.

$34\times1.6=34\times\frac{16}{10}=\frac{16}{34\times10}=\frac{16}{340}=\frac{4}{85}$

$34\times1.6=34\times\frac{16}{10}=\frac{34\times16}{10}=\frac{544}{10}=54.4$

✤ 자연수와 분수의 분자를 곱해야 합니다.

14 ㉠과 ㉡의 합을 구해 보세요.

㉠ 27×3.2 ㉡ 8×1.5

(98.4)

✤ ㉠ $27\times3.2=86.4$ ㉡ $8\times1.5=12$
➜ ㉠+㉡$=86.4+12=98.4$

15 계산 결과를 비교하여 ○ 안에 >, =, <를 알맞게 써넣으세요.

7×3.46 < 8×3.1

✤ $7\times3.46=24.22$, $8\times3.1=24.8$ ➜ $24.22<24.8$

4. 소수의 곱셈 · 69

3주 교과서

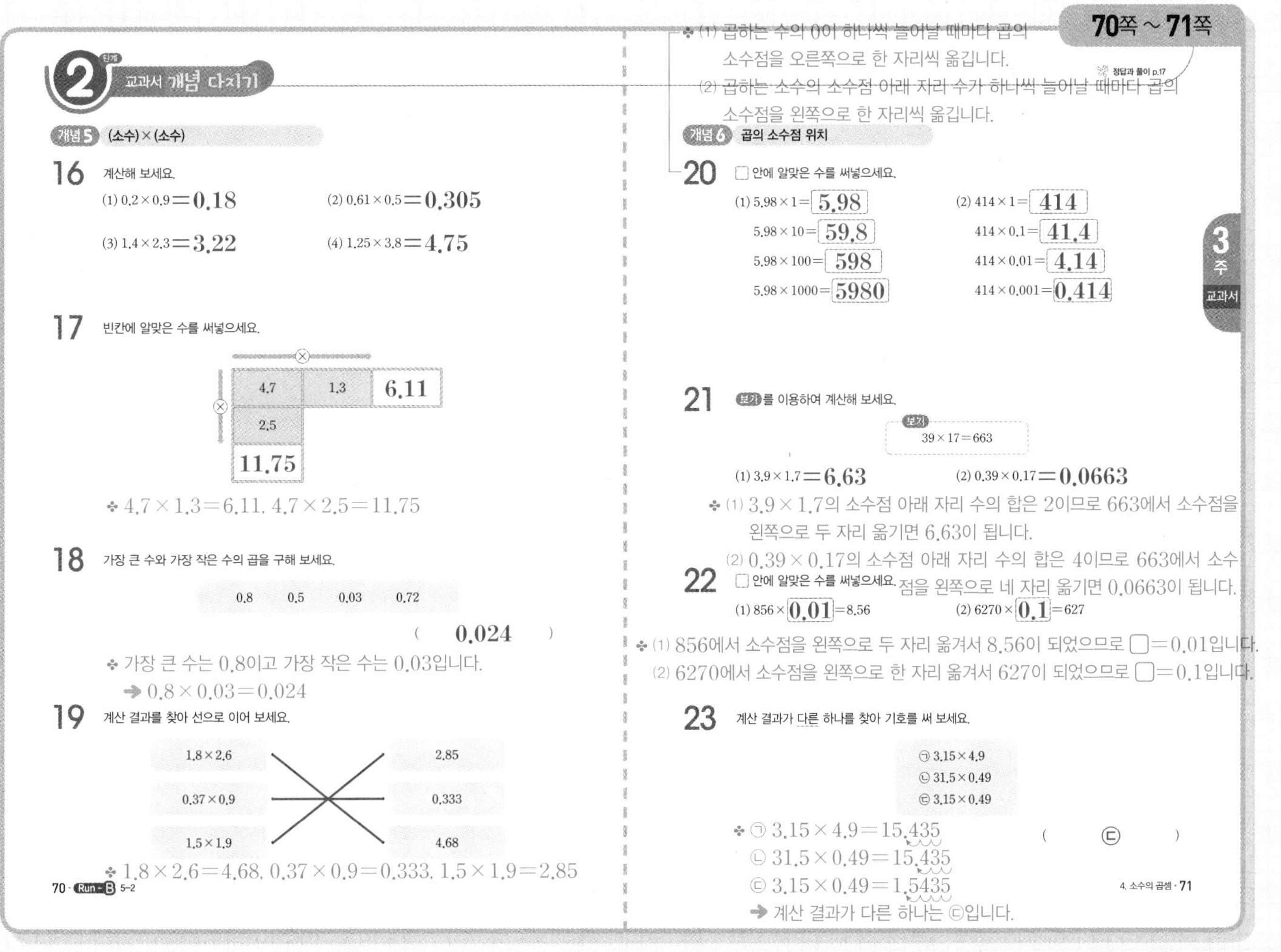

70쪽 ~ 71쪽

2단계 교과서 개념 다지기

정답과 풀이 p.17

개념 5 (소수)×(소수)

16 계산해 보세요.

(1) $0.2\times0.9=0.18$ (2) $0.61\times0.5=0.305$

(3) $1.4\times2.3=3.22$ (4) $1.25\times3.8=4.75$

17 빈칸에 알맞은 수를 써넣으세요.

4.7	1.3	6.11
2.5		
11.75		

✤ $4.7\times1.3=6.11$, $4.7\times2.5=11.75$

18 가장 큰 수와 가장 작은 수의 곱을 구해 보세요.

0.8 0.5 0.03 0.72

(0.024)

✤ 가장 큰 수는 0.8이고 가장 작은 수는 0.03입니다.
➜ $0.8\times0.03=0.024$

19 계산 결과를 찾아 선으로 이어 보세요.

1.8×2.6 — 4.68
0.37×0.9 — 0.333
1.5×1.9 — 2.85

✤ $1.8\times2.6=4.68$, $0.37\times0.9=0.333$, $1.5\times1.9=2.85$

70 · Run-B 5-2

✤ (1) 곱하는 수의 0이 하나씩 늘어날 때마다 곱의 소수점을 오른쪽으로 한 자리씩 옮깁니다.
(2) 곱하는 소수의 소수점 아래 자리 수가 하나씩 늘어날 때마다 곱의 소수점을 왼쪽으로 한 자리씩 옮깁니다.

개념 6 곱의 소수점 위치

20 □ 안에 알맞은 수를 써넣으세요.

(1) $5.98\times1=5.98$
$5.98\times10=59.8$
$5.98\times100=598$
$5.98\times1000=5980$

(2) $414\times1=414$
$414\times0.1=41.4$
$414\times0.01=4.14$
$414\times0.001=0.414$

21 보기를 이용하여 계산해 보세요.

보기 $39\times17=663$

(1) $3.9\times1.7=6.63$ (2) $0.39\times0.17=0.0663$

✤ (1) 3.9×1.7의 소수점 아래 자리 수의 합은 2이므로 663에서 소수점을 왼쪽으로 두 자리 옮기면 6.63이 됩니다.
(2) 0.39×0.17의 소수점 아래 자리 수의 합은 4이므로 663에서 소수점을 왼쪽으로 네 자리 옮기면 0.0663이 됩니다.

22 □ 안에 알맞은 수를 써넣으세요.

(1) $856\times0.01=8.56$ (2) $6270\times0.1=627$

✤ (1) 856에서 소수점을 왼쪽으로 두 자리 옮겨서 8.56이 되었으므로 □=0.01입니다.
(2) 6270에서 소수점을 왼쪽으로 한 자리 옮겨서 627이 되었으므로 □=0.1입니다.

23 계산 결과가 다른 하나를 찾아 기호를 써 보세요.

㉠ 3.15×4.9
㉡ 31.5×0.49
㉢ 3.15×0.49

(㉢)

✤ ㉠ $3.15\times4.9=15.435$
㉡ $31.5\times0.49=15.435$
㉢ $3.15\times0.49=1.5435$
➜ 계산 결과가 다른 하나는 ㉢입니다.

4. 소수의 곱셈 · 71

3주 교과서

3단계 교과서 실력 다지기

정답과 풀이 p.18

★ 계산 결과 비교하기

1 계산 결과가 가장 큰 것을 찾아 기호를 써 보세요.

㉠ 2.54×6 ㉡ 3.8×4.7 ㉢ 5×3.1

답 ㉡

개념 피드백: 소수의 곱셈을 할 때에는 자연수의 곱셈으로 계산한 다음 알맞은 위치에 소수점을 찍습니다.

✤ ㉠ 2.54×6=15.24 ㉡ 3.8×4.7=17.86 ㉢ 5×3.1=15.5
➔ ㉡ 17.86>㉢ 15.5>㉠ 15.24이므로 ㉡이 가장 큽니다.

1-1 계산 결과가 가장 큰 것을 찾아 기호를 써 보세요.

㉠ 4×0.7 ㉡ 1.32×5 ㉢ 2.6×2.3

(㉡)

✤ ㉠ 4×0.7=2.8 ㉡ 1.32×5=6.6 ㉢ 2.6×2.3=5.98
➔ ㉡ 6.6>㉢ 5.98>㉠ 2.8이므로 ㉡이 가장 큽니다.

1-2 계산 결과가 가장 큰 것을 찾아 기호를 써 보세요.

㉠ 4×0.13 ㉡ 0.7×0.6 ㉢ 0.08×9

(㉢)

✤ ㉠ 4×0.13=0.52 ㉡ 0.7×0.6=0.42 ㉢ 0.08×9=0.72
➔ ㉢ 0.72>㉠ 0.52>㉡ 0.42이므로 ㉢이 가장 큽니다.

1-3 계산 결과가 작은 것부터 차례로 기호를 써 보세요.

㉠ 1.9×3 ㉡ 2.52×8
㉢ 0.46×25 ㉣ 7.3×0.4

(㉣, ㉠, ㉢, ㉡)

✤ ㉠ 1.9×3=5.7 ㉡ 2.52×8=20.16
㉢ 0.46×25=11.5 ㉣ 7.3×0.4=2.92
➔ ㉣<㉠<㉢<㉡

★ 도형의 넓이 구하기

2 가로가 0.61 m, 세로가 0.5 m인 직사각형이 있습니다. 이 직사각형의 넓이는 몇 m^2인지 구해 보세요.

0.5 m
0.61 m

답 $0.305\ m^2$

개념 피드백: • (직사각형의 넓이)=(가로)×(세로)

✤ (직사각형의 넓이)=0.61×0.5=0.305 (m^2)

3주
교과서

2-1 정호네 텃밭은 한 변의 길이가 3.4 m인 정사각형 모양입니다. 정호네 텃밭의 넓이는 몇 m^2인지 구해 보세요.

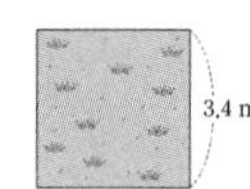
3.4 m

($11.56\ m^2$)

✤ (텃밭의 넓이)=3.4×3.4=11.56 (m^2)

2-2 평행사변형 모양의 꽃밭이 있습니다. 꽃밭의 넓이는 몇 m^2인지 구해 보세요.

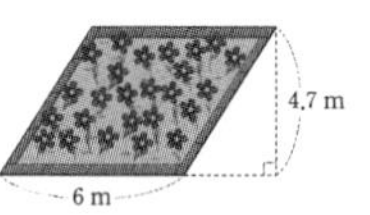
4.7 m
6 m

($28.2\ m^2$)

✤ (꽃밭의 넓이)=6×4.7=28.2 (m^2)

3단계 교과서 실력 다지기

정답과 풀이 p.18

★ 곱의 소수점 위치

3 은행에서 미국 돈 1달러를 우리나라 돈 1126.5원으로 바꿔 줍니다. 100달러짜리, 10달러짜리 지폐가 각각 1장씩 있을 때, 이 돈을 우리나라 돈으로 바꾸면 모두 얼마인지 구해 보세요.

=1126.5원

답 123915원

개념 피드백: 곱하는 수의 0이 하나씩 늘어날 때마다 곱의 소수점을 오른쪽으로 한 자리씩 옮깁니다.
예 4.195×1=4.195 ➔ 4.195×10=41.95 ➔ 4.195×100=419.5……

✤ 100달러짜리 지폐 1장은 1126.5×100=112650(원), 10달러짜리 지폐 1장은 1126.5×10=11265(원)으로 바꿔 줍니다. ➔ 112650+11265=123915(원)

3-1 은행에서 홍콩 돈 1달러를 우리나라 돈 157.99원으로 바꿔 줍니다. 100달러짜리, 10달러짜리 지폐가 각각 1장씩 있을 때, 이 돈을 우리나라 돈으로 바꾸면 모두 얼마인지 구해 보세요.

(17378.9원)

✤ 100달러짜리 지폐 1장은 157.99×100=15799(원), 10달러짜리 지폐 1장은 157.99×10=1579.9(원)으로 바꿔 줍니다. ➔ 15799+1579.9=17378.9(원)

3-2 은행에서 일본 돈 1엔을 우리나라 돈 11.44원으로 바꿔 줍니다. 1000엔짜리 지폐 1장과 100엔, 10엔짜리 동전이 각각 1개씩 있을 때, 이 돈을 우리나라 돈으로 바꾸면 모두 얼마인지 구해 보세요.

(12698.4원)

✤ 1000엔짜리 지폐 1장은 11.44×1000=11440(원), 100엔짜리 동전 1개는 11.44×100=1144(원), 10엔짜리 동전 1개는 11.44×10=114.4(원)으로 바꿔 줍니다. ➔ 11440+1144+114.4=12698.4(원)

★ 어떤 수 구하기

4 강호의 말을 읽고 어떤 소수를 구해 보세요.

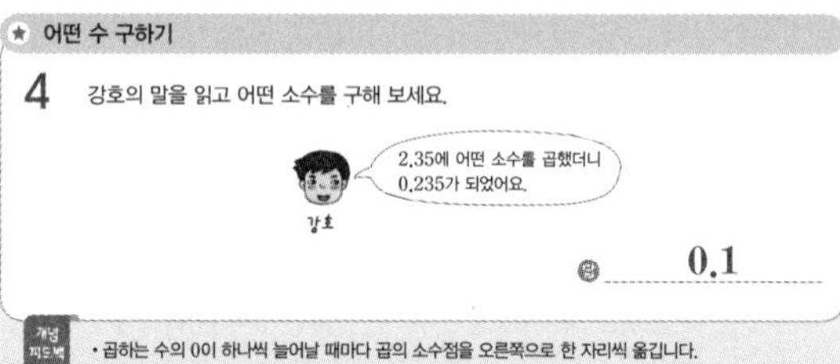
2.35에 어떤 소수를 곱했더니 0.235가 되었어요.
강호

답 0.1

개념 피드백: • 곱하는 수의 0이 하나씩 늘어날 때마다 곱의 소수점을 오른쪽으로 한 자리씩 옮깁니다.
• 곱하는 소수의 소수점 아래 자리 수가 하나씩 늘어날 때마다 곱의 소수점을 왼쪽으로 한 자리씩 옮깁니다.

✤ 2.35에서 0.235로 소수점이 왼쪽으로 한 자리 옮겨졌으므로 곱한 소수는 0.1입니다.

4-1 예지의 말을 읽고 어떤 소수를 구해 보세요.

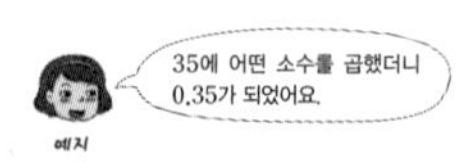
35에 어떤 소수를 곱했더니 0.35가 되었어요.
예지

(0.01)

✤ 35에서 0.35로 소수점이 왼쪽으로 두 자리 옮겨졌으므로 곱한 소수는 0.01입니다.

4-2 64.8에 어떤 수를 곱했더니 648이 되었습니다. 어떤 수를 구해 보세요.

(10)

✤ 64.8에서 648로 소수점이 오른쪽으로 한 자리 옮겨졌으므로 곱한 수는 10입니다.

4-3 어떤 수에 10을 곱해야 할 것을 잘못하여 100을 곱했더니 174.9가 되었습니다. 바르게 계산한 값을 구해 보세요.

(17.49)

✤ 어떤 수에 100을 곱하면 소수점이 오른쪽으로 두 자리 옮겨집니다. 어떤 수에서 소수점이 오른쪽으로 두 자리 옮겨진 수가 174.9이므로 어떤 수는 174.9에서 소수점을 왼쪽으로 두 자리 옮긴 1.749입니다.
➔ (바르게 계산한 값)=1.749×10=17.49

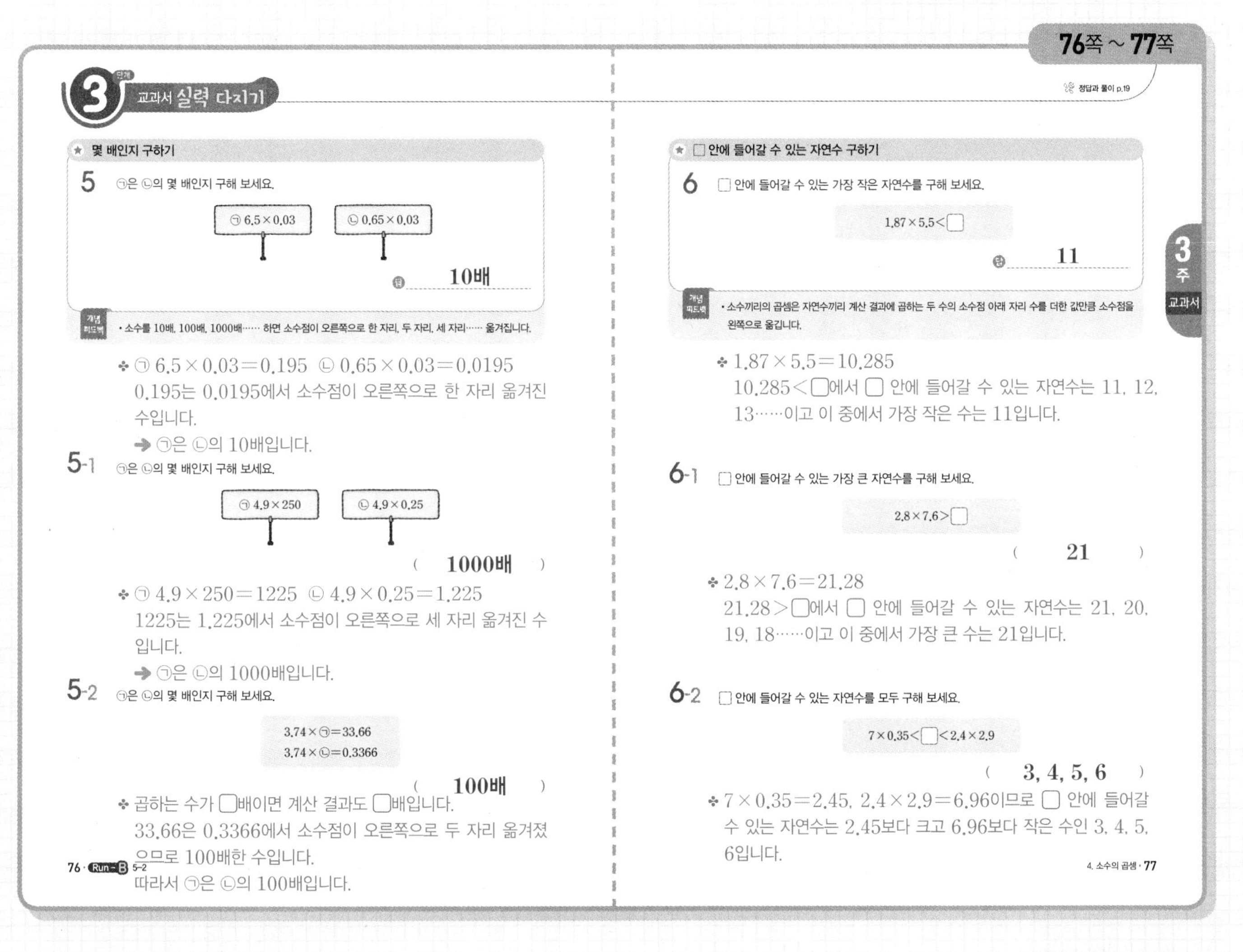

76쪽 ~ 77쪽

정답과 풀이 p.19

3단계 교과서 실력 다지기

★ 몇 배인지 구하기

5 ㉠은 ㉡의 몇 배인지 구해 보세요.

㉠ 6.5×0.03 ㉡ 0.65×0.03

답 10배

개념 피드백 • 소수를 10배, 100배, 1000배…… 하면 소수점이 오른쪽으로 한 자리, 두 자리, 세 자리…… 옮겨집니다.

✤ ㉠ $6.5 \times 0.03 = 0.195$ ㉡ $0.65 \times 0.03 = 0.0195$
0.195는 0.0195에서 소수점이 오른쪽으로 한 자리 옮겨진 수입니다.
➜ ㉠은 ㉡의 10배입니다.

5-1 ㉠은 ㉡의 몇 배인지 구해 보세요.

㉠ 4.9×250 ㉡ 4.9×0.25

(1000배)

✤ ㉠ $4.9 \times 250 = 1225$ ㉡ $4.9 \times 0.25 = 1.225$
1225는 1.225에서 소수점이 오른쪽으로 세 자리 옮겨진 수입니다.
➜ ㉠은 ㉡의 1000배입니다.

5-2 ㉠은 ㉡의 몇 배인지 구해 보세요.

$3.74 \times ㉠ = 33.66$
$3.74 \times ㉡ = 0.3366$

(100배)

✤ 곱하는 수가 □배이면 계산 결과도 □배입니다.
33.66은 0.3366에서 소수점이 오른쪽으로 두 자리 옮겨졌으므로 100배한 수입니다.
따라서 ㉠은 ㉡의 100배입니다.

76 · Run-B 5-2

★ □ 안에 들어갈 수 있는 자연수 구하기

6 □ 안에 들어갈 수 있는 가장 작은 자연수를 구해 보세요.

$1.87 \times 5.5 <$ □

답 11

개념 피드백 • 소수끼리의 곱셈은 자연수끼리 계산 결과에 곱하는 두 수의 소수점 아래 자리 수를 더한 값만큼 소수점을 왼쪽으로 옮깁니다.

✤ $1.87 \times 5.5 = 10.285$
$10.285 <$ □에서 □ 안에 들어갈 수 있는 자연수는 11, 12, 13……이고 이 중에서 가장 작은 수는 11입니다.

6-1 □ 안에 들어갈 수 있는 가장 큰 자연수를 구해 보세요.

$2.8 \times 7.6 >$ □

(21)

✤ $2.8 \times 7.6 = 21.28$
$21.28 >$ □에서 □ 안에 들어갈 수 있는 자연수는 21, 20, 19, 18……이고 이 중에서 가장 큰 수는 21입니다.

6-2 □ 안에 들어갈 수 있는 자연수를 모두 구해 보세요.

$7 \times 0.35 <$ □ $< 2.4 \times 2.9$

(3, 4, 5, 6)

✤ $7 \times 0.35 = 2.45$, $2.4 \times 2.9 = 6.96$이므로 □ 안에 들어갈 수 있는 자연수는 2.45보다 크고 6.96보다 작은 수인 3, 4, 5, 6입니다.

4. 소수의 곱셈 · 77

3주 교과서

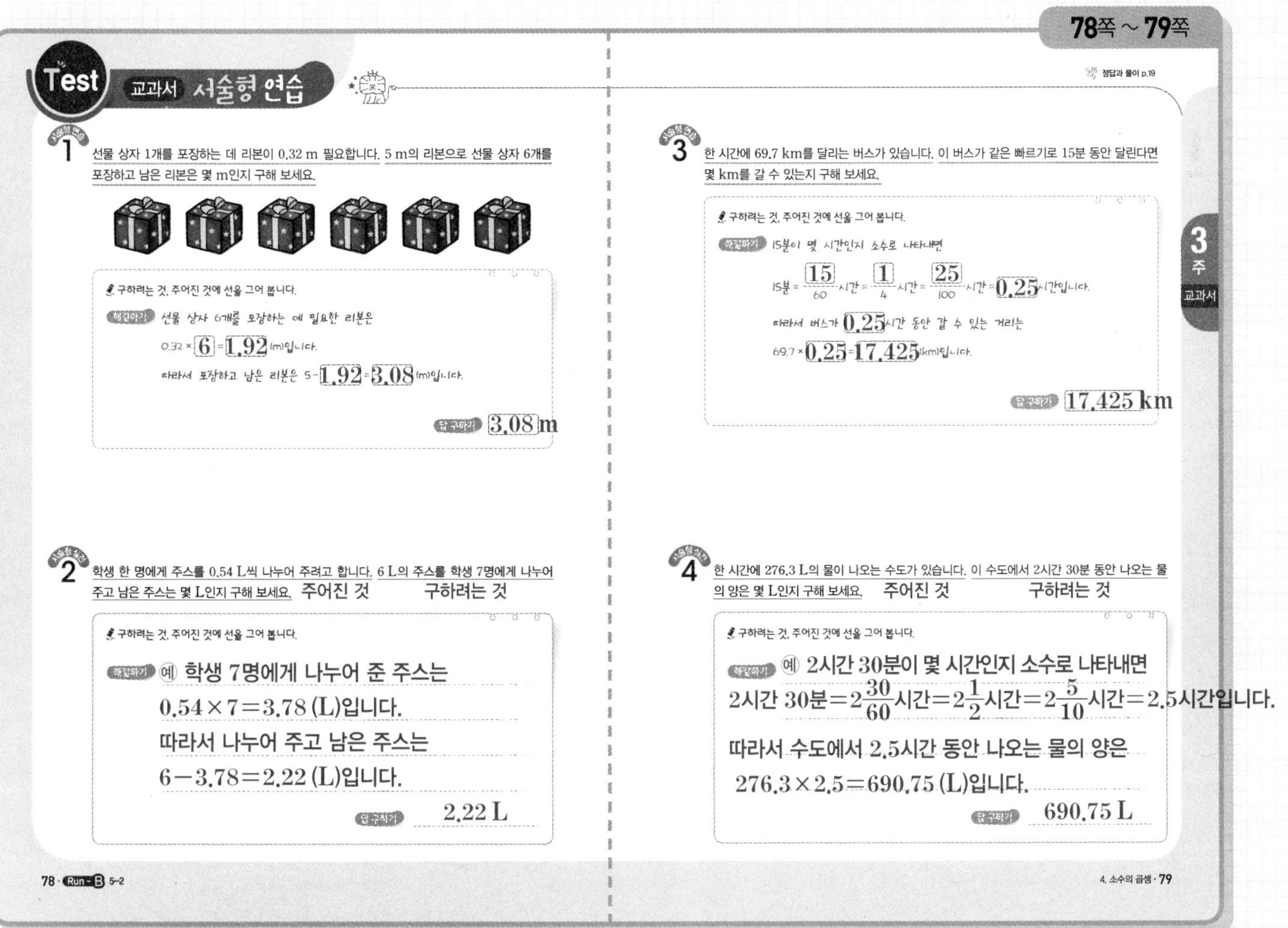

78쪽 ~ 79쪽

정답과 풀이 p.19

Test 교과서 서술형 연습

서술형 첫 1 선물 상자 1개를 포장하는 데 리본이 0.32 m 필요합니다. 5 m의 리본으로 선물 상자 6개를 포장하고 남은 리본은 몇 m인지 구해 보세요.

✎ 구하려는 것, 주어진 것에 선을 그어 봅니다.

해결하기 선물 상자 6개를 포장하는 데 필요한 리본은
$0.32 \times 6 = 1.92$ (m)입니다.
따라서 포장하고 남은 리본은 $5 - 1.92 = 3.08$ (m)입니다.

답 구하기 3.08 m

서술형 2 학생 한 명에게 주스를 0.54 L씩 나누어 주려고 합니다. 6 L의 주스를 학생 7명에게 나누어 주고 남은 주스는 몇 L인지 구해 보세요. 주어진 것 구하려는 것

✎ 구하려는 것, 주어진 것에 선을 그어 봅니다.

해결하기 예 학생 7명에게 나누어 준 주스는
$0.54 \times 7 = 3.78$ (L)입니다.
따라서 나누어 주고 남은 주스는
$6 - 3.78 = 2.22$ (L)입니다.

답 구하기 2.22 L

78 · Run-B 5-2

서술형 3 한 시간에 69.7 km를 달리는 버스가 있습니다. 이 버스가 같은 빠르기로 15분 동안 달린다면 몇 km를 갈 수 있는지 구해 보세요.

✎ 구하려는 것, 주어진 것에 선을 그어 봅니다.

해결하기 15분이 몇 시간인지 소수로 나타내면
15분 $= \frac{15}{60}$시간 $= \frac{1}{4}$시간 $= \frac{25}{100}$시간 $= 0.25$시간입니다.
따라서 버스가 0.25시간 동안 갈 수 있는 거리는
$69.7 \times 0.25 = 17.425$ (km)입니다.

답 구하기 17.425 km

서술형 4 한 시간에 276.3 L의 물이 나오는 수도가 있습니다. 이 수도에서 2시간 30분 동안 나오는 물의 양은 몇 L인지 구해 보세요. 주어진 것 구하려는 것

✎ 구하려는 것, 주어진 것에 선을 그어 봅니다.

해결하기 예 2시간 30분이 몇 시간인지 소수로 나타내면
2시간 30분 $= 2\frac{30}{60}$시간 $= 2\frac{1}{2}$시간 $= 2\frac{5}{10}$시간 $= 2.5$시간입니다.
따라서 수도에서 2.5시간 동안 나오는 물의 양은
$276.3 \times 2.5 = 690.75$ (L)입니다.

답 구하기 690.75 L

4. 소수의 곱셈 · 79

3주 교과서

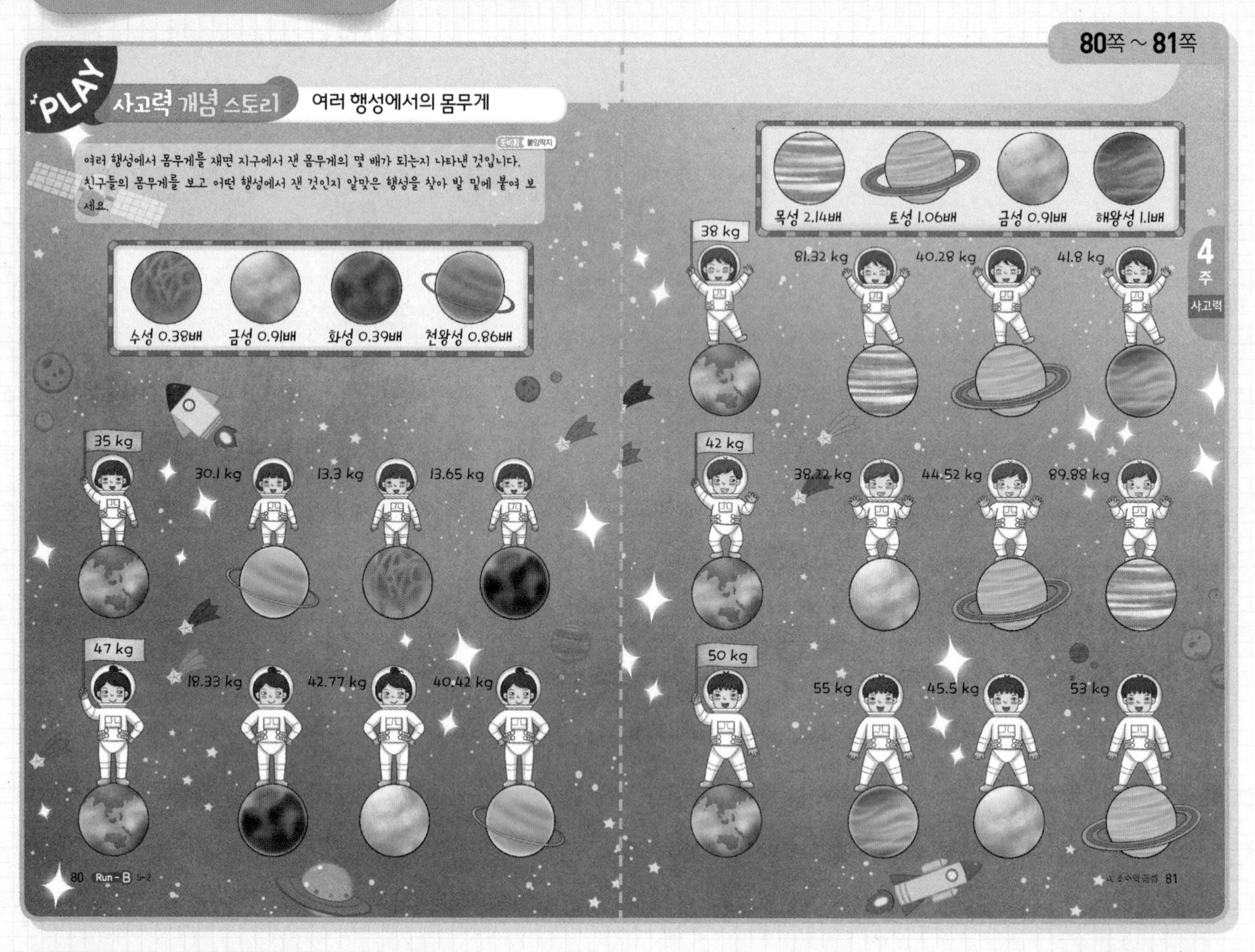
80쪽 ~ 81쪽
PLAY 사고력 개념 스토리 여러 행성에서의 몸무게
붙임딱지
여러 행성에서 몸무게를 재면 지구에서 잰 몸무게의 몇 배가 되는지 나타낸 것입니다. 친구들의 몸무게를 보고 어떤 행성에서 잰 것인지 알맞은 행성을 찾아 발 밑에 붙여 보세요.
수성 0.38배
금성 0.91배
화성 0.39배
천왕성 0.86배
35 kg
30.1 kg
13.3 kg
13.65 kg
47 kg
18.33 kg
42.77 kg
40.42 kg
목성 2.14배
토성 1.06배
금성 0.91배
해왕성 1.1배
38 kg
81.32 kg
40.28 kg
41.8 kg
42 kg
38.22 kg
44.52 kg
89.88 kg
50 kg
55 kg
45.5 kg
53 kg
4주 사고력

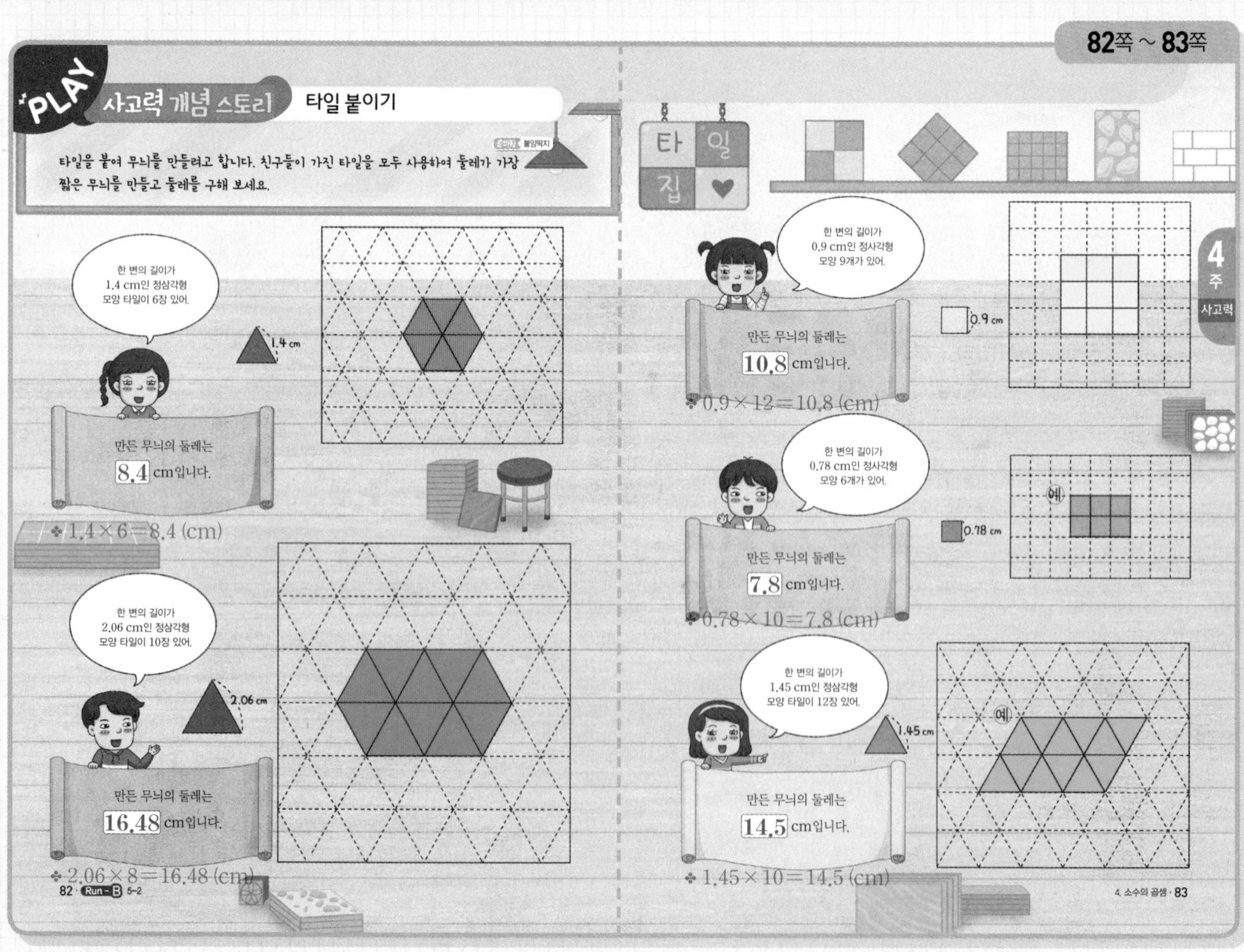
82쪽 ~ 83쪽
PLAY 사고력 개념 스토리 타일 붙이기
붙임딱지
타일을 붙여 무늬를 만들려고 합니다. 친구들이 가진 타일을 모두 사용하여 둘레가 가장 짧은 무늬를 만들고 둘레를 구해 보세요.
한 변의 길이가 1.4 cm인 정삼각형 모양 타일이 6장 있어.
1.4 cm
만든 무늬의 둘레는 8.4 cm입니다.
1.4×6=8.4 (cm)
한 변의 길이가 2.06 cm인 정삼각형 모양 타일이 10장 있어.
2.06 cm
만든 무늬의 둘레는 16.48 cm입니다.
2.06×8=16.48 (cm)
타일집
한 변의 길이가 0.9 cm인 정사각형 모양 9개가 있어.
0.9 cm
만든 무늬의 둘레는 10.8 cm입니다.
0.9×12=10.8 (cm)
한 변의 길이가 0.78 cm인 정사각형 모양 6개가 있어.
예
0.78 cm
만든 무늬의 둘레는 7.8 cm입니다.
0.78×10=7.8 (cm)
한 변의 길이가 1.45 cm인 정삼각형 모양 타일이 12장 있어.
1.45 cm
예
만든 무늬의 둘레는 14.5 cm입니다.
1.45×10=14.5 (cm)
4주 사고력